日本経済の真実

ある日、この国は破産します

辛坊治郎
辛坊正記

GENTOSHA

はじめに

私は警告する

今、日本は確実に破滅に向かいつつあります。メディアという情報の最前線にいて、さらに講演を通じて地方の惨状を見て、つくづくそう思うのです。

ある講演会でのことでした。ベルリンフィルの公演さえできそうな、豪華な音楽ホールにぎっしりと詰まった聴衆の鳴りやまない拍手と爆笑（嘲笑？）の渦の中、控え室に戻った私を迎えてくれた主催者がこう言ったのです。

「ありがとうございました。この音楽ホールは、普段村民カラオケ大会くらいしかやらないのでこれだけのお客さんが入ったのは、開館以来初めてです。でも、高齢者ばかりで驚かれたでしょう。実は**この集落で58歳の私が一番若い**のです」

別に、私の講演会にいっぱい人が入ったのを自慢しようというのではありません。まあ、全然ないとは言いませんが、問題は、この豪華音楽ホールのある集落は、今から数十年後にはほぼ確実に消滅するという事実です。その時、壮麗な音楽ホールは、狸《たぬき》の腹鼓《はらつづみ》と虫の声だけが演目になるでしょう。このケースは決して特異な話でないことは、地方に住む多くの皆さんは実感として持っているはずです。

メディアには、アホがいっぱい

問題を引き起こしている原因は複雑です。しかし、**メディアの持つ負の影響力**が、その破滅の速度に拍車をかけているのではないかと思うこともあります。ある情報番組で同席した、高名な経済評論家は生放送でこう言いました。

「日本の国民の負担はとても大きいのです。スウェーデンは消費税が25％ですが、これですべての社会保障がまかなわれているのです。日本の消費税は５％ですが、ほかにも社会保険名目などでたくさん徴収されているのです。その負担は４割近くになっていて、実はスウェーデンより、日本国民は重い負担を強《し》いられているのです」

私は、二の句が継げなくなりました。理由は、この本を手に取るほどのあなたに説明するまでもないと思います。こんな奴を野放しにしておいていいのかと唖然としましたが、つい最近同一人物が、比較的一流どころの週刊誌に、民主党政権の経済政策を肯定的に評価する記事を書いていました。つまり、この手の**トンデモ評論家のゴミのような見解**をありがたがる人々が、一定の知的レベルを持つ人たちの間にすら少なからず存在するということなのでしょう。驚くばかりです。しかし、ただ驚いているばかりでは、この国はつぶれてしまいます。

これはもう犯罪だ

こんな経験もしました。ある時、経済ジャーナリストとして、テレビや週刊誌で有名な人物がこう言いました。

「日本の年金積立金は、150兆円もあるのです。これだけ積立金があるということは、今のお年寄りが長年、不当に高い掛け金を負担させられてきたということです。お年寄りは、もっと怒って、『払いすぎた年金掛け金を返せ』と言うべきです」

この発言を聞いた瞬間、その場にへたりこみそうになりました。この人物が本当にそう信じて発言しているのなら、ただのクルクルパーですが、状況を知っていて言ったとすればほとんど犯罪に近いと思います。

はっきり言います。今のお年寄りは、自分が払った年金掛け金に比べて、不当に高い金額の年金を受け取っています。

今のお年寄りに、それぞれが払い込んだ掛け金に、物価変動率と金利を上乗せした額を払い戻して年金支払いを打ち切ることができるのなら、日本の年金問題はあらかた解決するのです。なぜなら、今のお年寄りは、平均寿命まで生きれば、積み立て方式でもらえる「理論的に正当な金額」の実に10倍近い年金を手にすることができるからです。

何でそんなことになったのかというと、元々の制度設計時に比べて、**平均寿命が飛躍的に延びたことで、生涯に受け取る年金総額が制度の想定を遥かに超えてしまったこと**、制度開始当時の高齢者と現役世代の比率から、年金支給に必要な掛け金が長年低く抑えられてきた一方で、政治的配慮から、給付水準が不当に引き上げられてきたことなどが理由です。

それでは、その「不当に高い給付」が誰によって支えられているかというと、その負担を強いられているのは、かわいそうに、高齢者の平均年金額にも満たない賃金で働く若者たちなのです。

そして切ないことに、彼らが年をとったとき、**今のお年寄りが受け取っている水準の年金額を受け取れる可能性はゼロです。**

救う道はあるのか

いったい日本はどうしてこんなことになってしまったのでしょうか。そして、破滅へひた走る日本を救う道はあるのでしょうか。

これは救いの書です。

縁あって、今、この本を手にしているあなたは幸運です。もしかすると、共に手を携えて**日本の破滅を食い止める救世主**になれる人かもしれません。さあ、ためらわず、先に進みましょう。立ち読みはやめて、今すぐレジに向かいましょう。

ところで、幻冬舎から出版した過去2冊の本は、本文はもちろん図表に至るまですべて私が書きました。今回もそうしようかと思ったのですが、本の性格上、経済の話が多くなりますので、強力な助っ人を発掘しました。

この男は、東大の入試が学生運動で中止になった年に一橋大学に入り、その後、慶應義塾大学ビジネススクール首席総代、コロンビア大学経営学部修士（MBA、米国ビジネススクール優等生クラブ「ベーター・ガンマ・シグマ」会員）、現在シンクタンク系列会社代表取締役で会社経営の実務も豊富、という華麗なキャリアを誇ります。ちなみに私の兄です。

今回はこの強力タッグ（?）で日本の明日のために一気に書き下ろしました。日本が破滅して、あなただけが生き残ることはできません。破滅から身を守るために、さあ最初の一歩を踏み出しましょう。

辛坊治郎

日本経済の真実　ある日、この国は破産します　目次

第2章

●歴史から学ぶ～なぜ日本はこんな国になったのか～

1 昔、日本はとても元気だった

2 高度成長後の日本で何が起きたのか

第4章 ● 政権交代への失望

装　幀　多田和博
装　画　タオカミカ
写　真　ヤマグチタカヒロ
DTP　美創

第1章

暴論に騙されないための日本経済入門

世の中には、インチキがあふれています。「アポロ11号が降り立ったのはアリゾナの砂漠だった」なんて与太話は歯牙にもかけない知識人ですら、経済の話になるとたんに、レベルとしては「9・11はアメリカ政府が仕組んだテロだった」なんて説と同じくらいの暴論にいとも簡単に引っ掛かってしまうのです。

最近流行しているのは、「日本の国債は、外国人は買っていないから、いくら増えても大丈夫」とか、「税金が足りなければ、どんどん政府が勝手にお札を刷ればいい」「国民年金の未納がいくら増えても問題ない」なんて話です。

衝撃的だったのは、某有力政治家の机の上に、この種の「とんでも本」が載っていて、私がインタビューしてみたら、明らかにその本に誘導されていると感じた時です。

このまま、この国を放置しておくと、日本は本当に滅びてしまいます。この手の政治家は一刻も早く、権力の座から放逐する必要がありますが、同時に、国民も、そんなクルクルパーな議論に騙されないための知識を身につけなくてはいけません。

この章は、まさにそのためにあります。この章を読むには少々気合いが必要です。でも、箱根駅伝の五区の山登りに比べればずっと楽です。東洋大学の柏原君になったつもりで、ぐいぐい行きましょう。

1ページごとに、あなたの周りにいる多くのライバルをごぼう抜きする快感を味わえるはずです。

まずは、すべての経済理論の出発点、ＧＤＰの意味から解説してゆきます。

1 GDPって何だろう?!

「世界第二」は風前のともしび

ＧＤＰは、国の経済の大きさを測る指標です。太平洋戦争後に物心ついた多くの日本人にとって、「世界第二の経済大国」というのは間違いなくすべての発想の原点にありました。時としてそれは、「金のことばかりを考える醜い存在」というような否定的なニュアンスで取り上げられることもありましたが、それだって裏を返せば、**永遠に続く経済大国日本という前提**があったからこその議論だったのです。

しかし、その時に終わりが来ています。かつて世界の18％を誇った日本のＧＤＰのシェアは8％に落ち、**世界第二の経済大国という名称は間もなく中国が使う**ことになります。早ければ今年、どんなに遅くとも、数年以内にその時はやってきます。

ところで、そもそもＧＤＰって、いったい何なんでしょうか？　それが、世界で一番だとか、二番だとか、いったいどうやって測り、それにどんな意味があるのでしょうか？

これが分からないと、他のことは一切分かりません。そこでまず、すべての議論を理解するために、基礎知識です。

ＧＤＰとは、「Gross Domestic Product」の頭文字で、頭から直訳すると、「全・国内・生産」、一般に「国内総生産」と訳されます。

それぞれの国が**国内で、一年間に新しく作ったモノやサービスの合計額**です。この「新しく作り出したモノやサービス」のことを経済用語で「付加価値」と呼びます。

具体例でＧＤＰをイメージしてみましょう。

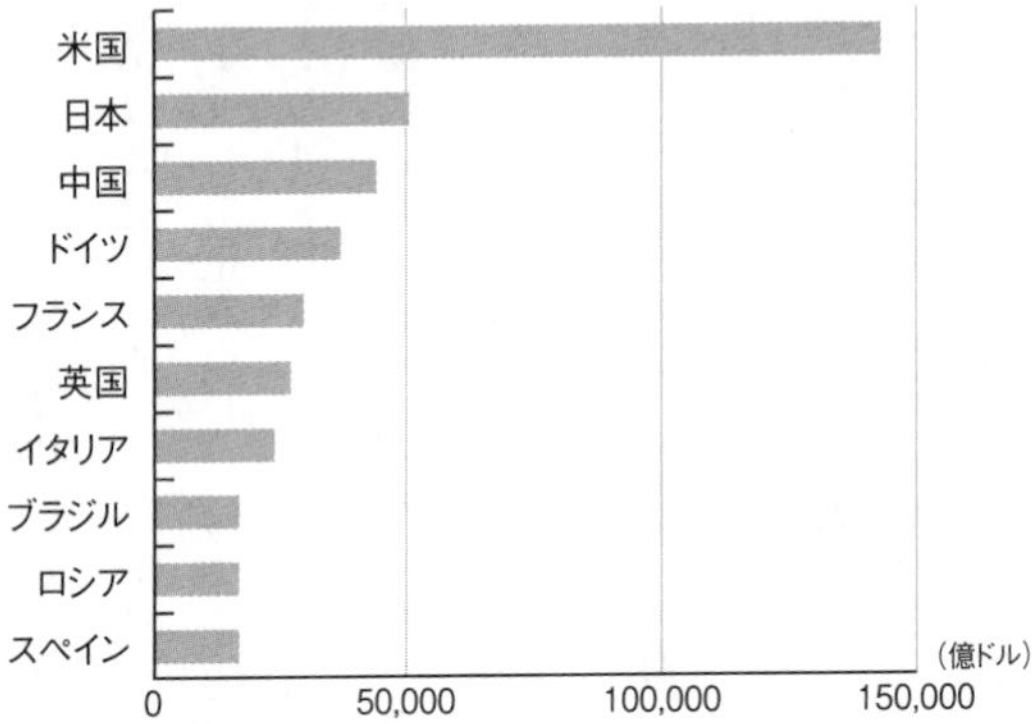

●2008年名目GDP順位

外務省経済局国際経済課「主要経済指標」から転載
http://www.mofa.go.jp/mofaj/area/ecodata/pdfs/k_shihyo.pdf

1本1000円のジーンズに見るGDP

ある会社がジーンズの生地を200円で買ってきて、裁断して縫製して1000円で売ったとします。生地はこの会社が作ったものではありませんから、この会社が生み出した付加価値は800円です。日本中の会社などが、こうして生み出した付加価値を合計すると、それが日本のGDPになります。2007年度の日本のGDPは516兆円です。

掘り出せばすぐにお金になる石油や鉄といった資源に乏しいわが国では、GDPの大部分は企業の生産活動が生み出しています。もちろんこれは、それぞれの企業で働く労働者が生み出しているという言い方もできます。

一口に企業と言っても、その中には、個人経営を含む農林水産業、建設・不動産業、電気・ガス・水道業、卸し小売業、金融業、公務を含むサービス業、その他、ありとあらゆる産業が含まれます。**そのすべての経済活動の合計が一年間に516兆円**です。商品やサービスには寿命があり、企業や産業には栄枯盛衰があります。**その時々のニーズに合った商品やサービスを効率的に提供できる元気な産業や企業が**日本の中にたくさんあるほど、GDPは大きくなります。時代のニーズに取り残された、非効率的な産業や企業のウェイトが高まると、国の経済は衰えます。

三面等価の原則を知る

日本国内で生み出されたGDP、すなわち「生産」は国民に「分配」され、国民がそれを「支出」、つまり使います。この**「生産」と「分配」と「支出」は、同じGDPを3つの側面から見たもので、それぞれの額は同じというのが、経済の原則です。**これを、「三面等価の原則」といいます。分かりやすくイメージしてみましょう。

ある島国の産業は、イモ作りだけだとします。1年間に、島民総出で、1億円分のイモを作ります。この島の「生産」の側面から見たGDPは1億円です。この1億円を、島民全員に全額配ります。この島の「分配」から見たGDPもやはり1億円です。

島民は分配された1億円を使って、イモを買って1年間暮らします。つまり、この島の「支出」、これは「消費」と言い換えてもいいですが、これも丁度1億円です。ほーら、「生産」「分配」「支出」、見事に同額で「三面等価」になるでしょう？　経済学なんてこうして考えていけば、チョロいもんです。

さあ、それでは、日本で生み出されたＧＤＰが、どのように「分配」され、「支出」されているのか、次ページの図を見ながら読み進んでください。

✸これが日本のGDPの内容だ

日本が生み出した５１６兆円のＧＤＰの約半分に当たる２６６兆円は、それを生み出すために働いた人たち（家計）への報酬として分配されます。１億２８００万人の**日本の人口で割ると一人当たり200万円**ほどです。これが皆さんの受け取る給料です。

残りのうち、政府が受け取る間接税などを除く１９９兆円が、ＧＤＰを生んだ企業の手《て》許《もと》に残ります。

企業はこれで生産設備などが古くなるコスト（固定資本減耗、会計上の減価償却費）を賄《まかな》い、利息を支払い、利益を得ます。利益は株主に配当を支払ったり、新しい設備を買ったりするのに使われます。ＧＤＰの分け前を受け取るのは、それを生み出した従業員（家計）と企業が主体というわけです。

政府は、家計が受け取る報酬や企業が得た利益から税金を取ります。基本的に生産活動

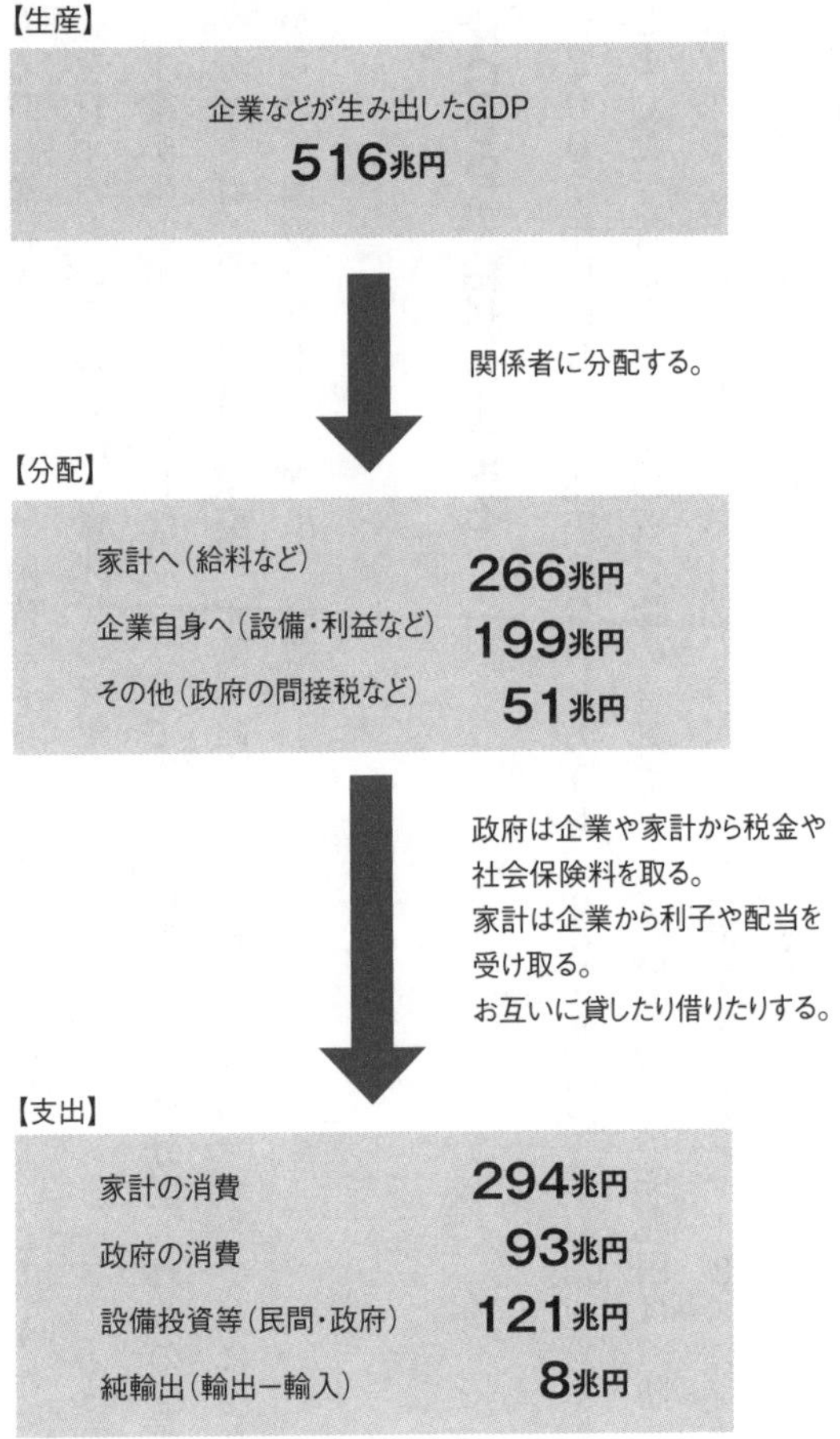

●2007年度の日本のGDP

http://www.esri.cao.go.jp/jp/sna/qe093-2/gaku-mfy0932.csv
http://www.esri.cao.go.jp/jp/sna/h19-kaku/1980a1_jp.xls
内閣府「統計表一覧」データを基に作成

に従事しない政府には、ＧＤＰの直接的な分け前がありません。したがって**使うお金は税金で集める必要がある**のです。税金で足りなければ借り入れで賄います。政府がお金を借りる時に発行する借用書が「国債」です。つまり「国債を買う」というのは、「政府にお金を貸す」というのと同じ意味なのです。

企業が生み出したＧＤＰは、こうして家計と企業と政府に分配されるのです。

分配されたＧＤＰは、家庭、企業、政府それぞれが「支出」することになります。ここからは、図の一番下の「支出」の話です。

✸ＧＤＰで給料が決まる

２００７年度は５１６兆円のＧＤＰのうち、２９４兆円を「家計」、つまり個人が消費しました。皆さんの日々の買い物の合計です。「政府消費」の93兆円は、防衛・警察、教育、医療などの公共サービスに使われたものの合計です。公共サービスに従事する公務員の人件費や、サービスに使用する備品の購入代などが含まれます。

「設備投資等」の１２１兆円は、**民間企業が設備増強に使ったり、政府が社会インフラ**

（橋、校舎、ダムなど）整備に使ったりしたものが主体です。消費されるＧＤＰと違って、「投資」は将来も使える資産として残るＧＤＰです。「純輸出」の８兆円は、ＧＤＰの一部を外国に売り渡したものです。外国に貯金したようなものですから、売上げ代金をとっておけば、必要な時に外国の財貨を輸入することができます。

ここまでで分かるとおり、家計が使うお金も政府が使うお金も、企業が将来の成長のために使うお金も、基本的には、国内の「誰か」が生み出したＧＤＰを分け合ったものです。その「誰か」には、もちろん個人経営の農家も、漁師さんも含まれますが、大半は大小の企業群が生産したものです。つまり「企業」が生み出したＧＤＰが、先ず**家計と企業自身に分配され、さらに政府と家計と企業に再分配**されて最終的な消費や投資に使われます。「生産」と「分配」と「支出」の額が一致するのは、はじめに書いたとおりです。これが「三面等価の原則」です。

ＧＤＰが大きくならなければ、「分配」も増えません。早い話が給料は増えないのです。「分配＝給料」が増えなければ、当然、「支出＝消費」も増えません。政府が社会保障や道路造りに使うお金も、企業が設備投資に使うお金も「支出」です。個人と同じく「分配」が増えなくては増やせないのが経済原則です。これらを増やすためには、まず、国内の

「生産」を増やす、すなわち、その大半を担っている「企業群」が生み出す「付加価値」を増やすしか方法はないのです。

「家計も政府も豊かな日本を作るには、元気な産業と企業を育てる以外に方法がない」ということを、しっかりと押さえておいてください。

GNPからGDPへ

GDPと似た言葉にGNPがあります。昔は、どちらかというと、こちらが経済統計の主流でした。かつて「大きいことは、いいことだ！」というチョコレートのテレビコマーシャルが大流行したことがありました。えっ？　聞いたことないですか？

まあ、これを知ってるのは多分四十代半ば以降の世代の皆さんでしょうねえ。なにせ、放送されたのは1968年のことですから。試しにあなたの周りの五十歳以上のオヤジに聞いてみてください。たいてい、両腕を指揮者のように大きく動かしながら歌い始めるはずです。面白いから、是非試してみてくださいね。

1968年に、このコマーシャルが流行したのには歴史的意味があります。なぜなら、この年に、日本経済がアメリカに次いで世界で2番目の規模になったからです。この時代に、経済規模の比較に使われたのはＧＮＰ（Gross National Product）でした。ＧＮＰは国民総生産と訳します。生産の場所が国内であるか国外であるかを問わず、**その国の国民が世界のどこかで新しく作り出した付加価値**です。これに対しＧＤＰは、それぞれの国が**国内で新たに生み出した付加価値を、生産者や労働者がどこの国の人であるかに関係なく合計した金額**です。

ＧＤＰもＧＮＰも、ひとつの国が一定期間に生み出した価値をお金に換算して測る指標です。お金やモノが国境を越えてさほど移動せず、外国からの投資と外国への投資がほぼ等しい時代には、ＧＤＰで測ってもＧＮＰで測っても景気の実感に大きな差が出ません。ところが、**経済のグローバル化が進んで各国の企業が相互に国境を越えて活動する**ようになると、ＧＤＰとＧＮＰの差が大きくなります。

それぞれの国の景気の実感をつかむには、生産者の国籍がどこであろうと、「各国が国内で生み出した価値」を測るＧＤＰの方が適切だろうということで、国際連合統計委員会が国際的な統計の主体をＧＤＰに切り替えました。現在では、先進国の多くがＧＤＰを採用しています。日本政府も1991年から景気統計に両方を並べて発表するようになり、

1993年からGDP1本に絞りました。

GDPとGNP、その違いを具体的に見てみましょう。

国内の雇用・生産を増やす

22ページで登場した1000円のジーンズを売った会社が、日本国内で生産された原材料で織った**日本製の生地を200円で買って製品を作ればGDPもGNPも1000円で**す。生地を作った会社の200円も、裁断して縫製した会社の800円も日本人が生み出した付加価値だからです。

しかし外国企業が外国で織った200円の生地を輸入して作ると、日本のGDPもGNPも800円にしかなりません。200円は、それを作った外国の付加価値（GDP）だからです。さらに、裁断も縫製も外国製のものを900円で輸入して1000円で売れば、日本のGDPもGNPも100円だけです。ここまでの例では、GDPもGNPも同じです。さあ、ここからが本論です。しっかりついてきてくださいね。

日本の企業が人から設備まですべてそのまま外国に運んで工場を移設し、原材料から縫製まで一貫して現地生産してできた900円のジーンズを日本に輸入して1000円で販売すれば、日本国内で生み出された付加価値、すなわちGDPは100円ですが、この会社が海外工場も含めて生み出した付加価値、すなわちGNPは1000円です。これがGDPとGNPの違いです。

後者の場合、会社は儲かっても、国内の雇用につながりませんから、日本で働く人々は困ります。つまり、**日本国内の人々が豊かになるためには、GNPでなく、GDPを増やすことが大切だ**ということがこれでよく分かっていただけるはずです。

こうして考えると、某衣料品メーカーのように、海外で作ったものを、国内で大量に売りさばく商売は、日本経済にとって大きな問題ではないか？　という視点が芽生えるはずです。正解です。日本の所得（GDP）を増やすには、**日本で、モノやサービスを作ることが大切**なのです。

なにより、国際機関が国の経済規模を測る指標をGNPからGDPに替えた、という単純な事実が、世界経済のグローバル化という現実の中で何が大切かを物語っているのです。

GNP拡大に潜む恐ろしい日本の衰弱

ＧＮＰは、日本の企業が外国で作った付加価値もカウントされます。日本の企業が中国やアメリカにどんどん工場を建てて国内でモノを作らなくなっても、**国内の不況をよそにＧＮＰだけはどんどん成長する**ことがあり得ます。

反対に、日本の魅力が増して外国企業が日本に次々進出して日本で価値を生み出しても、ＧＮＰはそれを必ずしも反映しません。これでは経済統計として意味がありません。そこで、日本の元気をよりストレートに表す指標として、日本でもＧＤＰが選ばれたのです。

ちなみに、海外投資の盛んになった日本では、年々ＧＮＰがＧＤＰを上回るようになりました。先進国では、両者の数字はほぼ同じというところが多いようです。つまり、多くの国では、自国企業は外国にどんどん進出するけれども、外国企業も同じくらい自国に進出してきている、ということです。

ところが日本の場合、**日本企業はどんどん外国に進出していくけれど外国企業は日本に来てくれない**ということになります。これが、日本のＧＮＰが先進国の中で特異的にＧＤＰを大きく上回る理由のひとつです。

さらに近年では、日本は外国に多額の投資をしており、それに対する利子や配当もＧＮＰに含まれます。逆に、外国からの日本に対する投資は細る一方です。これも、日本のＧＮＰとＧＤＰの差を広げる大きな原因になっています。

外国企業にとって日本が魅力を失い、日本企業が日本から逃げ出している、という恐ろしい図式が、この単純な数字から見えてきます。ちなみに、ＧＮＰは最近の国際的な統計ではＧＮＩ（国民総所得）に置き換わっていますが、基本的に同じものです。覚えておくと、ちょっとイバれます。

外国企業にとって日本が魅力を失い、日本企業も日本を逃げ出して外国で生産するようでは、日本のＧＤＰは大きくならず、給料も増えません。外国に工場を建て、外国の原材料や機械を買い、外国人を雇って日本企業は儲けているが、日本の家計には給料が払われない、これが、日本経済の「空洞化」です。

日本の家計を豊かにし、日本でモノやサービスが売れるようにするには、**企業が日本で人を雇って生産しても世界を相手に競争できる環境を整え、日本の「GDP」を成長させる以外に道はないのです。**

実質と名目はどこがどう違うのか？

新聞によく、「政府の成長目標は名目3％で、実質は2％を目指している」なんて書いてあります。この名目か実質かは、とても大きな違いがあります。例えば「タコヤキ辛坊屋」の売上げが去年1億円で、今年も1億円だったとします。この場合、名目上の売上げ増加率は0％です。

同様に、日本の前年のGDPが500兆円で、今年も同じ500兆円だった場合、名目成長率は0％です。

ところが、この間に物価が1割下がっていたとしたらどうでしょう。タコヤキの値段が1割下がっても「辛坊屋」の売上げが同じだったということは、実は1割程度販売量が増えているということを意味します。だって、値段が1割下がっているんですから、販売数量が同じなら、売上げは1割ダウンしてしまうハズです。

GDPも同じです。物の値段が1割落ちているのに、同額のGDPを記録したということは、1割程度経済が成長したということです。この場合、**名目成長率は0％ですが、実質成長率は約10％**と表現されます。

逆に同じ期間に、タコヤキの値段が1割上がっていたとするると、どうでしょうか？　値段が1割上がっているのに、売上げが同じということは、販売数量が1割程度落ちているということになります。この場合**名目売上高は同じですが、実質売上高はおよそ1割ダウン**です。

GDPも同じです。もし、物価が1割上がっているのに名目GDPが同じだったとすると、実質GDPは約10％ダウンしたことを意味します。1回読んだだけでは頭が混乱するでしょ？　それが普通です。でも大丈夫です。何も難しい話はしていません。ゆっくり3回読めば、絶対に分かります。

今、民主党政権は、政府目標として、「名目3％、実質2％の経済成長」を目指しています。これが意味するのは、「見かけの数字上はGDP3％増だけれども、その間物価が1％上昇するから、差し引き実質的に増えるのは2％」ということです。

つまるところ、名目か実質かは、**見かけの数字上どうか（名目）、物価の動きを勘案するとどうか（実質）**の違いです。もっと身近な例でいうと、給料だって同じ表現が使えます。去年も今年も同じ30万円の月給だとします。

この間物価が1割下がったとすると、名目賃金は同じですが、実質賃金は1割増しです。

逆に物価が1割上がったとすると、名目賃金は変わらず、実質賃金は1割減ということになります。

本質的に経済の動向を表すのは「実質」統計だと思っている人が多いのですが、物価が下がり続ければ、経済規模や給料が名目上変わらなくても、実質統計上では、それぞれの数字がどんどん増えているという結果となります。これって、実感にそぐわないでしょ。やっぱり、目に見える給料明細の数字が増えてこそ、「ああ手取りが増えた」という実感が湧くのではないですか？

こうして考えると、国民心理上大切なのは、**統計上の「実質」成長ではなくて、目の前の数字が本当に増えていく「名目」**だということが分かります。今の日本で本当に大切なのは、実質成長ではなく、目に見える数字を伸ばす「名目」上の成長なのだということを、ここで押さえておいてください。

これで「経済の基本、GDP」が、どういうものであるかの話は終わりです。さあ、それでは、いったいどうすれば、このGDPを成長させることができるのか、そのメカニズムを見ていきましょう。

2 何が成長を決めるのか？

経済成長の三要素とは

経済が成長する、というのはＧＤＰが大きくなることです。国民一人当たりのＧＤＰはその国の豊かさを測るひとつの指標ですから、**人口が同じなら、ＧＤＰが成長すればするほど国は豊かになります。**

高度成長時代といわれた戦後の一時期、**日本のＧＤＰは毎年10％ほども成長していました。**お隣の中国は今そのくらいのスピードで成長しています。ＧＤＰの成長は３つの要素に支えられています。「労働力が増加すること」「生産設備が増加すること」「技術が向上すること」です。

ひとりの人が手作業で布を裁断し、糸と針でジーンズを縫ったら１日１本しか作れません。２人いれば２本作れます。労働力が増えれば、生産量が増えることは明らかです。この２人がお金を貯めてミシンを１台買って交代で使えば１日10本くらいは縫えます。さらにお金を貯めてもう1台買えば、ひとり1台ずつ使えるので生産量はさらに増えます。それぞれの人が使える設備が多いほど、生産量が増加します。

設備を買うにはお金が必要で、**設備にお金をかけることを設備投資**といいます。したがってこれを、「労働者一人当たりの設備投資額が多いほど生産量が増加する」と言い換えることもできます（経済学の教科書ではこれを「労働装備率」とか「資本装備率」とか呼んでいます）。

この2人の技術が上がれば、同じミシンでも生産量が増えます。また、ミシンの性能が向上すればもっと増えます。同じ労働力、同じ設備投資額でも、人や設備の技術が向上すればGDPは増加するのです。

労働力、生産設備、技術がどのくらいあるかによってその国の生産能力、つまり毎年どのくらいのGDPを生み出せるかが決まります。これらの要素が毎年どのくらい増えそうかを見れば、この先どのくらいのスピードでGDPが大きくなるかが分かります。これをその国の「潜在的な成長力（潜在成長力）」といいます。ちなみに、**最近の日本の潜在成長力は0・5%くらいしかない**といわれています。

なぜ少子化が悪いのか

経済成長のエンジンである労働力は、**働く意思と能力を持った人がどれだけいるか**で決まります。出生率や年齢構成が影響するのはもちろんですが、その国の慣習や社会のあり方、移民の受け入れ方針なども大きく影響します。辛坊兄（１９７３年大学卒）が就職したころ、会社で働く若い女性はＯＧ（オフィスガール）と呼ばれていました。

まさに「ガール」で、結婚したら退職するのが当たり前、30歳を過ぎた女性は職場に居づらいという風潮がありました。事実、多くの会社がそのように仕向けていたのです。今では**結婚後も働いてもらうためさまざまな工夫**をする会社が増えています。慣習が変わって、女性も有力な労働力になったからです。

保育園に空きがないので、職場復帰できない、意欲はあるのに定年に邪魔されて働けない、といった現象も、社会のあり方次第です。子ども手当を支給してお母さんが安心して家庭に籠《こ》もって子育てできる環境を整えるか、そのお金を保育園の整備に充《あ》ててお母さんも働ける社会を作るかといったことも労働力に影響します。

米国は最大の移民受入れ国です。フランス、ドイツ、イギリスも旧植民地などから多くの移民を受け入れています。日本でも財界や政界から移民の受け入れを求める声が上がっていますが、政府は受け入れに慎重です。政府の施策の是非を考えるとき、「伝統を守る」といった思想的な側面と同時に、日本の労働力や経済にどういう影響を与えるかという視点も忘れてはいけません。

いずれにせよ、日本の急速な**少子高齢化は、GDP成長三要素のひとつ、「労働力」の絶対量を確実にむしばんでいる**ことに間違いはありません。よく「少子化で何が悪い」という声を聞きますが、**経済成長の観点に立った時に、少子化は確実に悪**なのです。こう書くと、「経済成長しなくて、どこが悪い」という声も聞きます。話は簡単です。生産と分配は常に同額です。「経済成長しない」とは、「分配が増えない」、つまり、生活水準は横ばいか、あるいは低下するということと、全く同じ意味なのです。

「生活水準なんか下がっても平気だ」ですって？　結構な心がけです。生活水準低下が続くその先には何があるか知っていますか？　適切な医療を受けられず、まともな住居に住めず、場合によったら餓死者が出る。そんな方向に国が向かっていくということなんですよ。安易に「経済なんか成長しなくていい」という人は、北朝鮮の回し者だと考えておおむね間違いではありません。

亀は国を滅ぼすか？

経済成長を支えるもうひとつの重要なエンジンは、企業の設備投資です。設備投資にまわせるお金が国内に十分あって、企業が設備投資をしたいと考えるような成長力のある産業が国内に沢山育っていれば、設備投資は自然と活発になります。日本人は伝統的に貯蓄が好きで、家計の金融資産はおよそ1400兆円もあります。してみるとお金はあります。

設備投資が活発に行われるかどうかは、作ったものが売れるかどうかにかかっています。売れないもの、競争力のないものを作る企業ばかりが日本に残れば設備投資は増えません。飛ぶように**売れるモノやサービスを作る産業や企業を、国内にたくさん育てる**ことができるかどうかで、設備投資が活発になるかどうかが決まります。

日本は、政府系の金融機関が競争力を失った産業や企業を国民の貯蓄を使って支えたり、さまざまな規制が成長性のある産業分野への投資を妨げたりすることを繰り返してきました。最近も、借金棒引き（モラトリアム）法案かといわれた「金融円滑化法」が施行されました。

当初の乱暴な構想から多少は後退したものの、それでも中小企業が借金を返せなくなった時は返済不要の資本金に切り替えたり、融資条件を緩和したりする義務を銀行に課し、また監督当局にはそれを監視する義務を課し、さらに金融機関にも社員が積極的に債務返済を免除するよう努力する体制を作る義務を課しています。

これは一見すると、経済強者である民間銀行を懲らしめて経済弱者である中小企業を助ける善政に見えますが、長い目で見ると、折角の**国民の貯蓄を効率の悪い産業分野に固定するよう政府が金融機関に強要**して経済を停滞させ、借り手のモラルハザードを助長し、結局は日本経済の成長を止めてしまう行為です。

また、郵便貯金、簡易保険で集めた資金を中小企業金融や地域金融に活用する構想も取りざたされています。これも、結局は郵政ファミリーの票と引き換えに金融の流れを歪《ゆが》め、**非効率な部分に資金や人材を固定し、日本の経済成長を止める**要因として働くおそれのある政策です。

社会主義経済的な発想でこのような金融を行うと、国民の貯蓄は競争力のある産業や企業に回らず、金融機関の運用利回りは改善せず、預金者は高い金利を受け取ることができません。日本経済全体を中長期的に発展させていく責任を負う政府がなすべきことは、このような形で非効率な産業や企業を残すことではなく、**人材や資金が無理なく衰退産業か**

ら成長産業に移行できる支援策を講じることです。

え？　なんです？　この項のタイトルの意味が分からないですって？　あなたカマトトぶっちゃあいけません。ずばりそういう意味です。

今こそ、ドロボー中国に学べ！

経済成長の三要素の3つめは、「技術」です。技術力が国の元気度を大きく左右することは、米国が一時の不況からＩＴ技術で見事に立ち直り、**電池や環境の技術が日本の希望の星として脚光を浴びている**ことでも明らかです。この点で、例えば中国政府の支出の先には、はっきりと成長戦略があります。

これは実話ですが、先日中国のある会社を訪問したら、日本の有力メーカーの医療機器が分解されて置かれていました。医療のあり方を変える先端技術を備えた製品で、中国政府の補助を得て後追い開発を進めるために購入して、分解したというのです。

社長は、「同種の製品なら既に日本のメーカーを超えた。その技術を応用して開発したわが社の製品に匹敵するものは日本にもない」なんてことを平気で言っていました。社長は、その製品を持って自らインドに売り込みに出かけたそうです。国が泥棒を支援しているような話ですが、その政府支出の先には確実に、**中国の技術、生産力、ひいては労働力の向上**があるということなのです。一方で、貴重な技術をやすやすと流出させてしまっている日本企業と、そこに何の手も差し伸べない日本政府という構図が見えてきます。泥棒してでも成長するんだという中国の強い意思には、まさに目を開かされる思いがします。

日本が持つ労働力と貯蓄と技術を、自らの成長のためにどれだけ有効に使うか、それらをどれだけ上手に増やせるかが国の将来を決めます。働ける人が生活保護や親の財産に頼って遊んでいたら、あるいは、働きたいのに仕事がなかったり保育園がなくて働きに行けなかったりしたら、**労働力が無駄**になります。

国民の貯蓄が競争力を失った産業や企業に縛りつけられて成長産業が育たなければ、**国民がいくら貯蓄しても消費が減るだけ**で経済の成長につながる設備投資は増えません。貴重な研究開発投資が成長力のある分野を見極めずに漫然と行われたり、折角の技術が日本で活用されずに海外に流出したりしたらGDPの成長は望めません。

政府がどのような成長戦略を描き、労働力を増加させ、設備投資を促し、技術を活用して経済を成長させ、国民の暮らしを向上させようとしているのか、ということに厳しい監視の目を向けることが重要です。それが語れない政治家に、国の運営を任せてはなりません。

経済成長の三要素を理解すると、豊かな明日を築くためには、設備投資にせよ、技術開発にせよ、結局のところ、**国内のお金を、何に使うかということこそが決め手になる**という事実が浮かび上がります。今あるお金、すなわち「貯蓄」と、それをどう使うか、つまり「投資」との関係をもう少し詳しく見てみましょう。

貯蓄と投資は裏表同額

給料を貰《もら》えば、使い道は二通りあります。消費するか貯蓄するかです。わが国が生み出した516兆円のGDPは、日本が使える所得です。その使い道も、**消費するか貯蓄するかです**。消費すればその場でなくなりますが、貯蓄すれば将来の役に立ちます。

はた織り機もミシンも持たない貧しい国が、国民総出の手作業でジーンズ10万本を作り、1本1000円で隣の国に売って1億円を得ました。GDPは1億円です。この1億円は労働の対価として、生産にたずさわった国民に分配されます。

国民がこれで高級食材を買って全部食べてしまえば、翌年も作れるジーンズは10万本です。GDPは変わらず、同じ生活が続きます。生み出したGDPが、右から左に100%消費されている状態です。

もし国民がジャガイモを食べて我慢し、4000万円を銀行に預けたらどうでしょう。この国の企業は4000万円を銀行から借り、そのお金で外国からミシンとはた織り機を買うことができます。国全体で見れば、6000万円をジャガイモに消費し、4000万円を生産設備に投資した形です。

ミシンとはた織り機が手に入れば、翌年は30万本のジーンズが作れます。1本1000円で売れば3億円です。経済が3倍に成長し、お金を借りた企業は借金を返済してもなお十分なお金が手元に残ります。従業員の**給料が増えて、国民は豊か**になります。

この国の政府がこの企業の代わりに銀行から4000万円を借りて、公共事業として誰も乗らない豪華な観覧車を買って建てたらどうでしょう。観覧車はやがてサビだらけになり、政府の借金だけが残ります。この場合は、ひとりひとりの国民が貯蓄だと思って銀行に預けたものが、経済全体では貯蓄にならず政府の手でいきなり消費に回ったことになります。残るのは、政府の借金です。

借金の返済日が来たら、政府は増税して４０００万円を国民から取り上げるか、永久に繰り返し借り続けるか、**経済破綻を宣言して借金を棒引きにする**かしかありません。ジャガイモで我慢した国民の消費が４０００万円減っただけで、後には何も残らないのです。

企業も政府もお金を借りなければ、銀行は外国にお金を貸していたでしょう。これなら国民は、将来必要な時に外国から返済を受けて消費したり投資したりすることができます。

日本全体で見ると、貯蓄と投資は結果として常に同額です。消費されなかったＧＤＰは自動的にどこかに貯蓄されます。貯蓄されたＧＤＰは、好むと好まざるとにかかわらず**誰かの手で必ず投資**されます。上手に投資すれば経済の成長につながります。投資の仕方を誤ると、折角の貯えが無駄になります。

国民の貯蓄が国の成長にどのように役立っているのか、**政府が無駄に使っていることはないのか、よく監視しておかなくてはいけない**のは、こういう理由です。貯蓄の経済学的意味が分かったところで、日本の貯蓄がどう使われているのか見てみましょう。

貯蓄の有効活用が決める国の元気度

２００７年度のわが国の設備投資等の合計は、１２１兆円です。下の表がその内訳です。これが、国民が貯えたＧＤＰがどのように使われたかを表しています。

住宅投資の**17兆円は、住宅の建設に使われたお金**です。住宅は、将来何十年も残って価値を保ち続けます。だから、消費ではなく貯蓄（投資）です。家計が貯えたＧＤＰを、自分のために投資したものと考えることができます。

設備投資等で一番大きな項目は、企業設備の81兆円です。将来の生産活動を支えるために企業が購入する機械や装置、その他さまざまな生産手段です。企業が自ら貯えた利益や、銀行借入れ、社債・株式の発行などで調達した**国民の貯蓄を使って投資**します。

景気が上向いて売上げが増えると思えば、企業は積極的に設備を拡張します。先行き売れる見込みがないと思えば、設備を廃棄することもあり得ます。元気な産業が育ち、活発

住宅	17
企業設備	81
政府	20
民間在庫	3
公的在庫	0
計	**121**

（兆円）

●2007年度設備投資内訳

内閣府　平成20年度国民経済計算確報（支出側時系列等）

に生産活動する企業が多ければ多いほど投資が増えます。企業の設備投資は、将来のＧＤＰを増やして経済の成長を促す牽引車の役割を担う重要な項目です。これが増えるか減るかで、国の元気度が分かります。

民間在庫の3兆円は、販売や生産に備えて企業が手元に置いておく商品や材料などの資産です。特売でドッと売れると見込めば、スーパーマーケットは商品を山と積み上げますね。これは積極的な在庫投資です。積極的な在庫投資は、ＧＤＰを拡大します。

一方、月に１０００台ずつ売る計画で自動車を３ヶ月間作り続け、結局月に６００台しか売れなければ、毎月４００台ずつ、３ヶ月で１２００台の在庫が積み上がります。これは「意図しない（望まないけどやむを得ない）」在庫投資です。意図しない在庫投資が膨らむと、**企業は生産を減らして在庫の圧縮に努めます**。これを「在庫調整」と呼びます。在庫調整は景気の足を引っ張ります。

政府の20兆円は、**道路や橋といった社会的なインフラへの投資**（社会資本形成）です。景気変動に対して政府が行う、財政政策の主な手段としても使われます。不況になったら道路を掘り返すアレです。税金や国債の形で集められた資金が原資です。造るものが道路であってもダムであっても、**経済活動を活発にする社会インフラに適切に投資**されれば将来の税収が増えて国が豊かになります。役に立たないものを造るのにお金が使われれば国民の貯蓄が死に金になります。

同じ工業団地でも、企業の誘致に成功し、雇用を生み出して多額の法人税収が上がれば素晴らしい投資ですが、山を削って用地を造成したのはいいけれど、結局山中に平らな「ススキの原っぱ」が誕生しただけで放置されてしまえば、税金は露と消えてしまうのです。

これらの投資は、すべて「国民の貯え」を使って行われます。この項でお見せした表は、あくまでも2007年度のお金の流れだけを見たものです。もっと大きく、長年にわたって積み立てられてきた国内の貯蓄が何に使われているのかを見ると、日本が抱える最大の問題点が見えてきます。

日本の「国民の貯え」すなわち**個人金融資産は実に1400兆円、国民一人当たり1150万円**にのぼります。この国民の貯蓄が、本当に役立つものにどれだけ充てられているかが国の元気度を決めるのです。有効に使われていれば、経済の成長に大いに役立ちます。無駄に使われてしまったなら、国の衰退の原因になります。現状を詳しく見ると、背筋が凍る日本の現実が浮かび上がります。さあ、その扉を開けましょう。ようこそ、「ジャパン・エコノミック・ホラーショー」へ!!

3 日本経済恐怖劇場

安定志向の日本人

まず、日本の金融資産残高が、世界に比べてどうなのか見てみましょう。その額、実に1461兆円にのぼり、米国に次いで世界第2位の水準です。国民一人当たりに換算して1148万円、一家4人ならその4倍です。

沢山持っている人が平均を引き上げているのでほとんどの人には実感のない数字かもしれませんが、日本人が、**世界でも有数の貯蓄好きの国民**であったことは確かです。ただ、世界の浪費家！　というイメージの米国の金

	総額	国民一人当たり残高
米国	4,257兆円（32.4兆ドル）	1,494万円
日本	1,461兆円*	1,148万円
英国	545兆円（2.8兆ポンド）	909万円
ドイツ	430兆円（3.7兆ユーロ）	523万円
フランス	367兆円（3.1兆ユーロ）	620万円

*このうち、家計部門は1,414兆円、残りは対家計民間非営利団体部門で47兆円。

●個人金融資産残高（2001年末）

http://www.mofa.go.jp/mofaj/area/ecodata/pdfs/k_shihyo.pdf
日本銀行　国際比較：個人金融資産1,400兆円

融資産残高が圧倒的に世界一なのにはちょっとびっくりです。米国の場合、個人金融資産は多いけれども、同様に個人の借金も多いという背景はありますが、なんだかんだ言っても、長年にわたり世界随一の経済大国を維持して作った貯えは伊達《だて》じゃありません。

それでは、その巨大な金融資産は、いったいどのようなかたちで存在しているのでしょうか？　それを示したのが次の表です。

構成比を見ると、欧米に比べて現金・預金の比率が圧倒的に高く、株式・出資金の比率が際立って低いことが分かります。現金・預金は、大部分

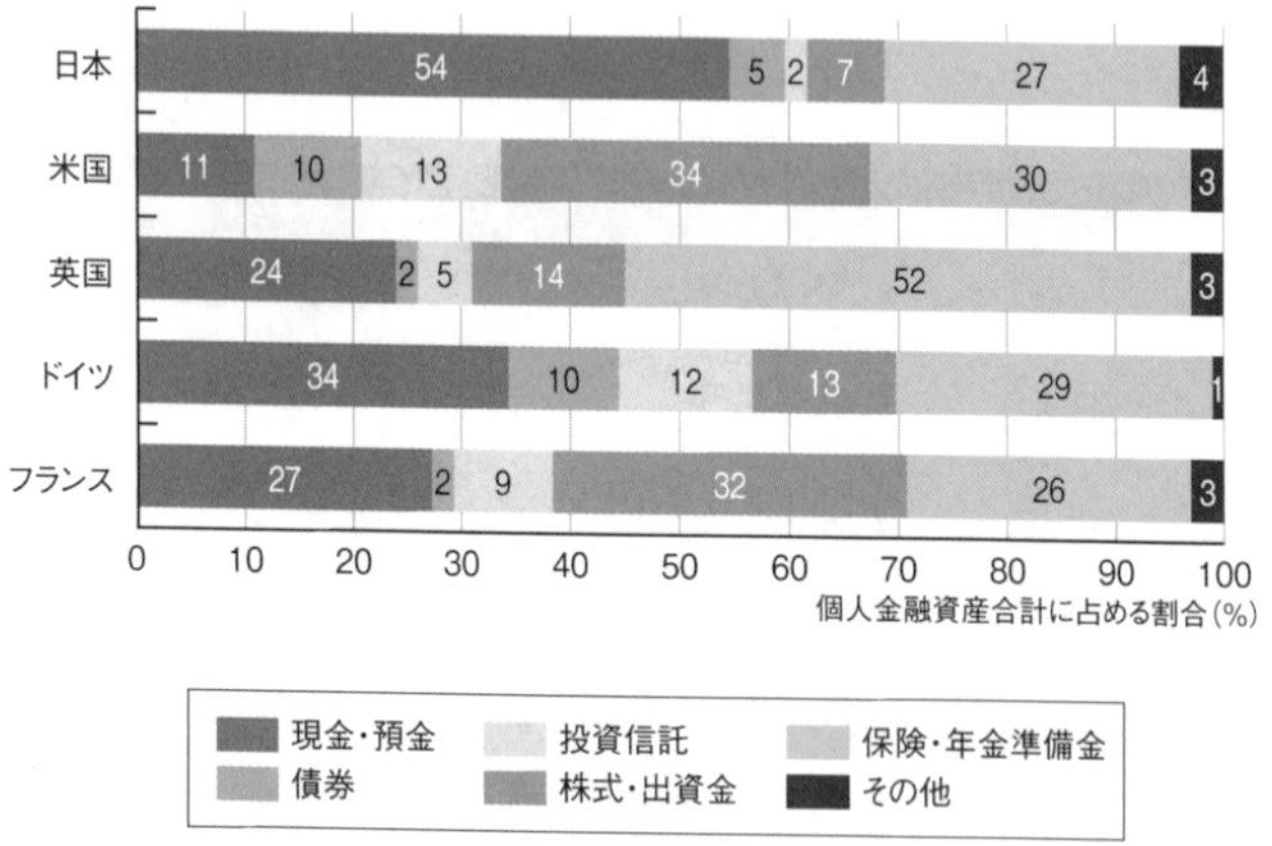

●個人金融資産の構成比(2001年末)

http://www.mofa.go.jp/mofaj/area/ecodata/pdfs/k_shihyo.pdf
日本銀行　国際比較：個人金融資産1,400兆円

が銀行や郵便局などの金融機関に預けられたお金です。銀行や郵便局は一般的に信用力が高く、預かったお金を安全に運用してくれると信じられています。資産形成の歴史が浅く、**安全志向の高い国民性**が表れています。

銀行や郵便局にお金を預けるとき、それが何に使われるかを考える人はあまりいません。運用は銀行などに任せて、利息が受け取れればいいという人がほとんどです。銀行は、このお金をさまざまな人たちに貸し付けます。大企業にも、中小零細企業にも、個人にも、政府にも、学校にも、その他さまざまな借り手がいます。

借り手の側も、誰が預金したお金であるかに関心はありません。銀行が預かってまとめた多額の資金の中から、必要な額を借りられさえすればいいのです。預かった**お金をどこに貸すかは銀行の判断**です。預金者も借り手も相手のことを知らず、銀行が自らの判断で貸し借りの間《あいだ》を取り持つことからこれを「間接金融」と呼びます。間接金融のウェイトが高いのが日本の金融の特徴です。

「間接金融」という言葉があるくらいですから、当然「直接金融」というのもあります。**会社が個人に直接、債券や株式を売ってお金を調達**する時に、この言葉を使います。間接金融の場合、銀行が企業に貸したお金が焦げついても、個人の預金は銀行の責任で保証してくれますが、直接社債を買った場合、その会社がつぶれれば、お金はパーです。個人にとっては、企業にお金を直接貸し出す「直接金融」より、**銀行預金を通じて間接的に企業に貸し出した方が、リスクが少ないのです。**

さて、個人が銀行に預けたお金の行方を考えてみましょう。銀行が合理的に判断するなら、できるだけ業績がよく、成長性があって、きちんとお金を返してくれる先に優先的に貸し出すはずです。ただ、**銀行に預けられるお金は安全志向の非常に高い資金**ですから、貸し出す銀行も、どうしても担保（いざとなれば売るなどして返済に充てられる資産）重視、安全性重視の貸出し姿勢になります。

間接金融は必要なところに柔軟に資金を供給できる合理的な仕組みですが、非常にリスクの高いベンチャー企業などには**十分に対応しきれない**という宿命を負っています。いずれにしても、日本の金融の特徴は間接金融にあるということを押さえておいてください。

✴政府の借金は786兆円

それではここで、その巨大な金が国内でどんな危機にさらされているか見ていきましょう。次ページの表の右上を見てください。２００９年6月末のわが国の個人金融資産は１４４１兆円です。前項で示した２００1年の表では１４６１兆円でしたから、ここ10年全く増えていないどころか、徐々に減り始めていることが分かります。

１４４1兆円の内訳は、銀行や郵便局に預けられたり投資信託のかたちで保有されたりしているものが７５２兆円（預金）、株式や社債あるいは国債などのかたちで持たれているものが１９５兆円（証券）、**将来受け取る保険や年金の準備**に充てられているものが３９２兆円（保険年金準備金）です。

金融資産を持っているのは、個人だけではありません。企業が７６６兆円、政府が４７5兆円持っています。金融資産を持っている人たちの裏側には、それに見合う金融債務（借金などのこと）を負っている人たちがいます。これが、表の左側です。ここは、ちょっと説明が要りますよね。

例えば、個人が1万円を銀行に預け、銀行が民間企業に1万円を貸すと、個人は銀行に対して将来1万円返せという権利を持ち、企業は、銀行に1万円返さなくてはならないという義務を負うことになります。経済全体で見れば、銀行が仲を取り持って、個人が1万円の金融資産を持ち、企業が1万円の金融債務を負ったことになります。

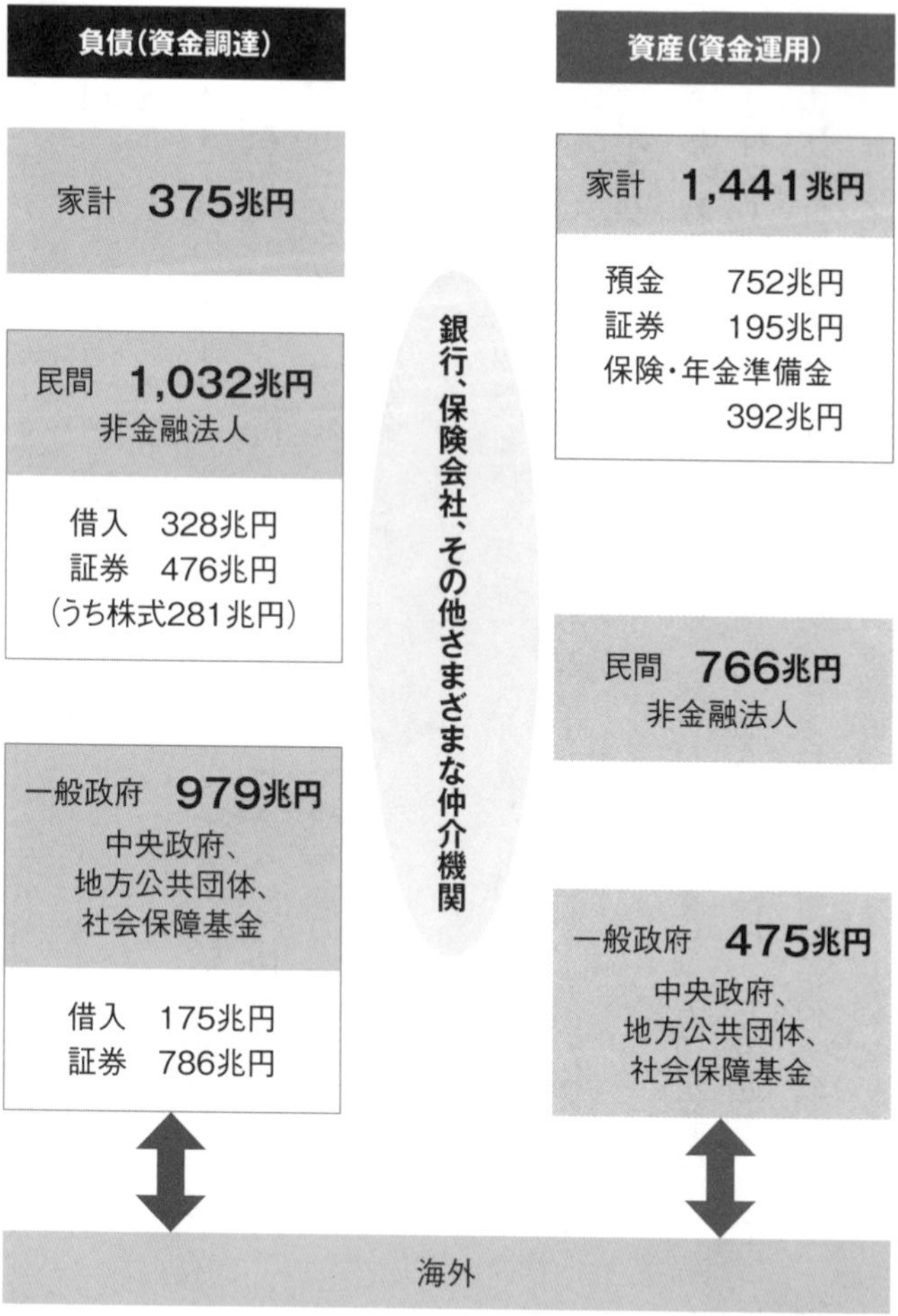

●個人金融資産の状況(2009年6月末)

日本銀行調査統計局
資金循環統計参考図表を基に作図

銀行に預ける代わりに、国債や社債を買うこともできます。その場合は、個人が国や企業に直接的に債権を持ち、国や企業は個人に直接的に債務を負うかたちになります。いずれにしても、個人が持つ1万円の金融資産の裏側には、それを借りて使う、つまり金融債務を負う国や企業や個人がいるわけです。ひとことでいうと、56ページの右側が「貸す人」、表の左側が「借りる人」です。

例外もあります。小沢一郎さんや、鳩山由紀夫さんのお母さんのように、**たんす預金で現金を持っている**場合は、個人資産が裏側の債務を発生させることはありません。まあ、それが一人で億単位になることはフツーありませんけどね。

表の左側のように、金融債務の内訳は個人が375兆円、企業が1032兆円、政府が979兆円、合計2386兆円です。

誰にお金が回るのか分からない銀行預金などと違って、個人が証券のかたちで持っている金融資産は、誰が使っているかはっきりしています。例えば個人がトヨタの新株を買えば、その購入代金は、返済不要の資本金としてトヨタが使うお金になります。東京電力の社債を買えば、そのお金は東京電力が使います。そして国債を買ったお金は政府の財布に入ります。

株券、債券等は、まとめて証券類といいます。個人が持っているこのような証券類は、195兆円しかありません。ところが**国債等で政府が借りているお金は786兆円**もあります。これって、おかしくないですか？　だって国はとんでもない額の国債を発行して借金しているのに、国民の金融資産の内訳を見る限り、国民がそんなに多額の国債を買っているようには見えないのですから。

いったい**誰がそんなに沢山の国債を買って、国に金を貸し付けてるんだ？**　という素朴な疑問が、この表から浮かび上がってきます。いったい、何が起きているのか？　そこにこそ、この国の恐ろしい現実があるのです。

金の行き先が見えない「間接金融」

1441兆円の個人金融資産のうち、375兆円は個人が住宅ローンを借りたりして自ら使っています。1441兆円から375兆円を引いた1000兆円あまりが、純粋な個人金融資産です。政府は979兆円の借金をしていますが、政府自身が475兆円の金融資産を持っていますから、純粋な借金額はその差額の500兆円ほどです。してみると、

1000兆円あまりの個人の貯蓄のうち、500兆円ほどが政府の借金に充てられている勘定です。

しかも、政府が持っている475兆円の金融資産は、公的年金の積立金などが主なものなので、これも国民が将来に備えて貯めた貯蓄の一種です。こうして考えると、結局、政府の借金は、すべて国民の貯蓄で賄《まかな》われていることが分かります。一方で、多くの国民の意識の中には、「自分で国債を買った」覚えは全くありません。いったい、これはどうなっているのでしょうか？

銀行やゆうちょ銀行・かんぽ生命保険（以下、郵便局）などは、皆さんから預かったお金を個人や企業に貸し出したり、国債を買って政府に貸したりしています。保険・年金の準備金も、年金基金などが仲介して同じように運用されています。これが間接金融です。この間接金融が曲者《くせもの》です。間接金融を通じて、**皆さんの貯蓄が政府に吸い上げられている**のです。つまり、国民が買ったつもりのない**国債が国民の貯蓄で賄われているからこそ、**政府は979兆円もの借金ができるのです。

間接金融の中でも、とりわけ**郵便局が政府の打ち出の小槌《こづち》**です。郵便局は郵便貯金や簡易保険で預かったお金の実に8割を国債の購入に充てています。郵便局が国債を買えば、皆さんの貯蓄が政府の赤字の穴埋めに使われます。郵便局はまさに「政府の財布」です。国の借金が将来の経済成長につながる「価値ある資産」として残っていれば、この500兆円は有意義に活かされているといえます。しかしこの借金が、政府の赤字の穴埋めに使われたり、ススキの原っぱとなった工業団地や、**飛行機の発着しない飛行場**、あるいは**船の影すら見えない巨大な釣り堀状態の港湾**に化けたりしていたら、国民の大切な貯蓄、すなわち国民が折角節約したGDPの一部が、いつの間にか消えてなくなっていることになります。

安定志向の国民による巨額の貯蓄が、間接金融の仕組みを通じて最も安全な金融資産であるはずの国債の購入に向かい、それが**政府の赤字の穴埋め**に使われ、民間の成長資金として有効に活用されなかったところに日本の停滞の大きな原因が潜んでいます。これが、日本の現状を作り出した最大の「悪の構図」なのです。

民にできることは民でやる

政府は、家計や企業から税金を取って支出に充てます。政治とは、国民から税金を集めて、その使い道を決める仕組みです。税金と支出が見合っていれば財政収支はトントン、いわゆる「均衡予算」の状態です。税金で支出が賄えなければ財政赤字が発生し、政府は国債を発行して借金をします。

給料や企業の利益から税金を引いた残りが家計や企業の可処分所得、平たくいうと使えるお金です。税金が増えれば**可処分所得、つまり家計や企業が消費や投資に使うお金**が減ります。家計や企業が国債を買えば、消費や投資に回せるお金がさらに減ります。直接買っても、銀行などを通じる間接金融で買っても同じです。国債のかたちで民間から吸い上げたお金は、民間に代わって政府が使います。

このように、政府の支出と民間の支出はトレードオフの関係にあります。トレードオフとはあちらを立てればこちらが立たず、という関係のことです。政府が民間より効率のいい投資、**民間ではできないが国家としてやるべきこと**にお金を使うのであれば、民間の支出を抑えて政府に回す意味があります。ただ、多くの場合、役人は「効率」を考えずにお金を使いますから、よほどのことがない限り、利益に敏感な民間人が使う方が、結果として、同じお金を効率よく使うことにつながります。これが、「民にできることは民で」の本当の意味なのです。

一方で「政府が税金を取って同額を使えば需要が増えて結果的に皆の所得が増える」という有名な説（均衡予算乗数の定理）がありますが、今の日本の状況ではトンデモ理論のひとつですから、相手にしてはいけません。少し説明が要りますね。

お金を使おうとしない家計から税金を集めて政府が使えば、需要が増えます。需要が増えればGDPが増えて家計の所得が増えます。そうすると、家計の消費が増えてGDPがさらに増えて……皆が豊かになれるということなのですが、理屈はそうでも、何か変でしょう。将来が不安なのに、このうえ税金が増えて政府が無駄遣いをする、と感じたら、**肝心の庶民や企業の財布の紐はますます固くなる**ばかりです。

政府支出のすべてが税収で賄えれば、借金は不要です。政府が税収の範囲内で支出をしている限り、多少効率の悪い税金の使い方をしても国の財政が破綻に向かうことはありません。また、税収には限界がありますから、政府が政治的な思惑などで浪費して民間の設備投資などを締め出す余地も限られます。自然に「財政規律」が働くということです。

ところが、税収不足による財政赤字を借金で賄い始めると、政府の支出に抑制が利かなくなります。歯止めの利きにくい**借金で浪費を重ねれば、いずれ首が回らなくなる**のは家計も国も同じです。さらに、非効率な**「官」の支出が肥大化して「民」の成長を妨げる**可能性も高まります。これが財政赤字の最大の問題点です。

そうはいっても、民間企業が**借金をして設備投資や運転資金を賄う**ことは当たり前に行われています。運転資金は、収入と支払いのタイミングのずれで一時的に不足するお金です。どんなに経営状態のいい企業でも、銀行からお金を借りている状態というのは、ごく一部の特殊な例を除いて当然のことなのです。しかし、政府の財政赤字や借金は、常に問題視されます。いったいこれはどうしてなのか？　企業にたとえて考えてみましょう。

日本を破滅させるばらまき政治家の人気取り

企業が借金をして、設備投資をします。設備は将来何年かにわたって商品を生み出します。生み出された商品の価値の合計が設備投資の金額より大きければ、その売上げで借金を返してもおつりが残ります。借金は成功です。もし、あてが外れて機械がうまく使えなかったらどうでしょう。いずれ機械は壊れて借金だけが残ります。そんなことが続けば**借金が膨らんで会社は倒産**します。

政府のインフラ投資も同じです。民間では造れない橋や道路や技術開発を国債という借金で賄い、その結果、**日本企業の競争力が増して利益が増え、雇用も拡大すれば成功**です。税収が増えて国債はいずれ返済できます。しかし、税収増に結びつかない「効率の悪い」インフラ投資を借金で賄ったらどうなるでしょう。いずれ借金が積み上がって、財政は破綻します。

次に、経営者と社員との関係を見てみましょう。基本的な福利厚生施策は、就業規則などで定められています。会社が十分儲かっていれば、基本的な福利厚生施策に加えて、社員の誕生日や創立記念日に祝い金を大盤振る舞いしたり、会社が費用を負担してラスベガスへの社員旅行を企画したりすることもできます。

会社の成長に回すお金の余裕がその費用分だけ減りますが、社員は喜びます。それで社員がやる気になれば一生懸命働いてくれるかもしれません。利益の範囲でやるなら安全です。もし、会社が赤字の時に借金をしてこのような支出を続けたらどうでしょう。今の社長はいい気持ちかも知れませんが、**つけを回される将来の社長や社員**はたまったものではありません。この話を、経営者を政府に、社員を国民に読み換えると、日本の構図が鮮やかに浮かび上がります。

一方で、政府の支出には、会社の支出と明らかに性格の違う側面もあります。警察や国防、教育や医療、さらには弱者保護などのために所得の再配分も必要です。このような支出は儲かるか儲からないかという、単純な話で割り切ることができません。大切なことは、いったいいくら国民から税金を集めて、それを何に使うのかという説明を政治家がしっかりとして、国民がそれに納得することです。何回も言いますが、政治とはとどのつまり、「税金を集めてその使い道を決定するプロセス」なんです。

現在の日本の政治状況はどうでしょうか？　集めた税金を、国民のコンセンサスのない、無駄なことに使っていないか？　あるいは、税金を集める不人気なプロセスを回避して、**お金もないのに、国民に大盤振る舞い**だけをしている状況ではないのか？　先ほどの、目先の社員の人気取りに走る経営者が、将来社員に取り返しのつかない迷惑をかけるのと同じで、余っている税金を使うのではなく、**借金をして人気取りに走る政治家**は間違いなく、国家を破綻に導きます。

国の借金がすべて悪いわけではありません。国の将来の成長につながる投資のために資金を一時的に調達するのは、健全な借金です。良い借金と言ってもいいかもしれません。しかし、確たる成長の見込みもなしに赤字を重ねた結果積み上がる借金は、国の将来を暗くする悪い借金です。基本的に、そのような**戦略的な投資目的以外の、福祉、防衛などに**

かかる日常の支出は、返済不要の収入である税金の範囲で賄わなければなりません。それがまともな国の財政の基本です。なぜ、借金で国家を運営することが間違っているのか分かったところで、このまま、財政赤字を増やして、**税収を増やさず、借金頼みの日々を**送っていると何が起きるのか、最悪のシナリオを読み解いていきましょう。

国債が払い戻せなくなる日

こういう議論があります。「1441兆円の個人金融資産は名目GDPの約3倍だ。これだけ国民がお金を持っているのだから、政府の借金はまだまだ増えても大丈夫。このお金を上手に使えば日本は何でもできる。貯め込んだお金を個人が消費に回せば、需要が増えてすべての問題が解決する」

騙されてはいけません。ここには、とんでもない嘘が隠されています。

個人金融資産の多くは、国債を通じて政府に吸い上げられ、既に国や地方の「巨大釣り堀」や赤字の穴埋めに注ぎ込まれてしまっています。政府の過去の赤字補填に充てられてしまって「巨大釣り堀」すら残っていない500兆円は、もはや返済のあてのない、いわゆる「不良金融資産」＝「焦げついた貸金」だと考えざるを得ません。

とはいうものの、いつでも国債を売って、手に入れたお金は自由に使えます。郵便貯金だって、原則的に制限なく引き出して使えます。この状況からは、間接金融を通じて政府に貸し出された国民の貯蓄が、一見「焦げついて」いるわけではないように見えます。しかしそれは、今はまだ**郵便局や銀行に国民の貯蓄が沢山あるので**、誰かが多少預貯金を引き出しても銀行や郵便局が、その預貯金で買った国債をまとめて売る必要がないからです。

ですがもし、個人が一斉に金融資産を取り崩して消費を始めたらパニックです。預貯金の残高が急減して、銀行も郵便局も国債を買う余裕を失います。持っている国債も売らなければなりません。買う人がいなければ、国債の値段は暴落します。国債の値段は、他の商品と同じく需要と供給によって決まります。買いたいという人が減って、売りたいという人が増えれば当然値段はどんどん下がっていきます。政府が新規に発行する国債だって値段を下げなくては誰も買いません。それどころか、**リーマン・ショックの時の株式市場のように、売り手ばかりで買い手がない状況**になる可能性もあります。

新しい国債が売れなくなれば、政府は満期の来た国債の払い戻しができなくなります。なぜなら現在、毎年支払期限の来る国債のために、**新たに国債を発行してお金を工面して**

いるからです。「期限の来た国債を払い戻せない」＝「国家財政の破綻」です。

１９８０年代には多くの中南米諸国が、累積債務問題で財政破綻しています。発展途上国の政府が借金を返せなくなった時、貸し手の先進国は返済期限を延ばしたり、貸付金の一部を棒引きしたりして救いの手を差し伸べました。借り手の経済規模は小さいですし、完全に破綻されたら貸した側も困るからです。

日本の国債の90％は日本国内で売られています。日本政府がお金を返せなくなっても、困る先進国はありません。困らなければ、日本に救いの手を差し伸べる理由はありません。たとえ助けようと思っても、経済規模が大きすぎて発展途上国に対するようにはいきません。日本が自力で立ち直るしかないのです。待っているのは、**大増税かハイパーインフレーション**です。

✷国民の貯金箱は実はカラッポ

あ、ここまで書いてきてひとつ思い出したことがあります。それはかつて年金の掛け金が、政府に全額預けられて、政府が利回りを保証する代わりに、政府の作るさまざまな特殊法人の財源になっていた時代の話です。

あの当時、「政府を通じて特殊法人に貸し出されている多くのお金は、不良債権化している。だから、年金の積立金も、実質的にはほとんど残っていない」なんてことが平気で言われて、新聞紙上にも同じような意味のことがよく書いてありました。この理屈は正しいけれども嘘です。政府が利回りを保証している以上、**年金の掛け金は1円たりとも減っていなかった**のです。日本政府が破綻しない限り、この論法は成り立ちません。その点で嘘です。でも、日本で起きている大きなお金の流れから見ると本当かもしれません。

なぜ今この話を突然思い出したのかというと、国民の貯蓄の多くが、国債に回って、それが無駄に使われて、国の借金だけがどんどん積み上がっているという現状を、同じ論法で言うならば、「国民の多くの貯金は、不良債権化して実質ほとんど残っていない」ということになるからです。この言い方は、やはり、嘘です。

しかし国家財政が破綻して、**政府が国債の払い戻しをできなくなった瞬間に**真実に変わります。年金資金も貯金も、日本政府が財政破綻した瞬間にパーになる可能性があるからです。恐ろしい話です。

さあ続いて、このまま財政赤字が続いていくと、どんな恐ろしいことが起きるのか、いよいよこの章の本論に入ります。

財政赤字は金利の暴騰を招く

国債が順調に売れている状況では、政府は安心して借金を重ねて国民にばらまくことができます。しかし、誰が考えてもそれには限界があることは分かります。すでに日本国中の**預貯金の少なくとも半分以上は、間接金融を通じて政府に吸い上げられているのです。**このままの状態が続けばある日、**国債価格が下がり始め、場合によっては突然暴落する日**が来るかもしれません。国債価格が暴落するということは、世の中の金利が暴騰することを意味しています。理屈は単純です。

ここに、10年先に10万円払い戻してくれる国債があるとします。現実の国債は、毎年払い戻される金利チケットのようなものがついていたりと複雑ですが、話を単純化します。10年先に10万円払い戻しになる国債を、10万円で買う人はいません。これがいわゆる無利子国債ですが、それを持っている人の**相続税をタダにする**など、金利以外の何か優遇策がつかない限り、絶対に売れません。で、そんな優遇策のない普通の10万円の国債を9万円で買ったとします。

10年後にこの紙切れを政府は10万円で買い戻してくれますから、金利は10年で約10%です。ところが、同じ9万円を投資する時、ほかに有利なものがあったり、政府に信用がなくなって10年後に国債を払い戻してくれるのか不安になったりしたら、もっと安い値段でなければ国債は売れません。で、8万円の値段がついたとします。

8万円で買って10年後に10万円のお金が戻ってくれば、10年間の金利は約20%ということになります。ほら、簡単でしょう。国債の値段が下がるということは、金利が上がるということと100%連動します。なぜなら、国債というのは、**国が破綻しない限り日本で最も信頼されているお金の投資先**で、すべての金利の基準となるからです。国債の値段は入札で決まりますから、その入札のたびに世の中の基準金利が変動するのです。

お分かりいただけましたか。次の2つの関係をしっかり理解してください。

●国債の値段は需要と供給で決まる。つまり、国債の発行量が買い手の欲しがる量より多ければ値段が下がる。

●「国債の値段が下がると金利が上がる、逆にいうと、金利が上がると国債の値段が下がる」、つまり、「国債の値段と金利の高低は逆相関である」。

金利が上がると、企業の借金や、住宅ローンの負担が増えるのは誰でも分かります。しかし、本質的な問題は、国の払う借金の金利も同時に上がるということです。例えば、国の借金を1000兆円とすると、金利1%なら、毎年の政府の金利支払いは10兆円です。

しかしもし、金利が10%に上がったら、政府は毎年金利だけで100兆円支払わなくてはなりません。税収が40兆円のままで金利の支払いだけで100兆円になったら、絶対に政府はつぶれます。その時がひたひたと忍び寄っています。その現実を見てみましょう。

✵先進国中ズバ抜けた政府の借金

2009年9月末の「国の借金」は、正確に言うと約865兆円です。人口約1億2800万人として、赤ん坊からお年寄りまで国民一人当たり675万円です。短期的な借金などを除いた「国債」による借金は、563兆円です。

次ページの棒グラフが、日本がこれだけ大きな借金を抱えることになった軌跡を表しています。国債残高は、1973年（昭和48年）に高度成長が終わりを告げて以来急速に増え出しました。日本経済がバブルに沸いた1980年代後半に増加ペースはいったん緩や

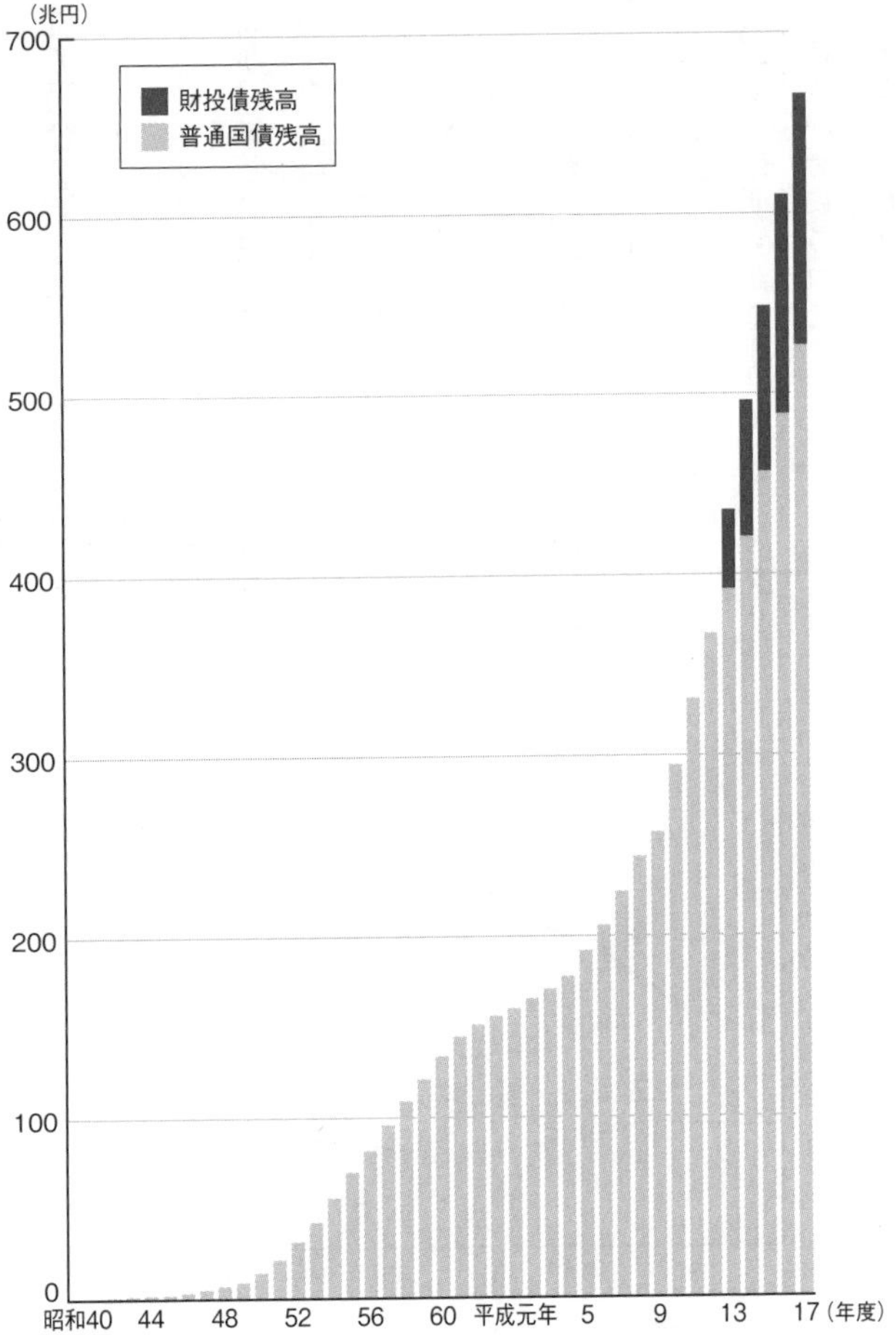

（注）計数は額面ベース、実績。

●普通国債及び財投債の残高の推移

http://www.mof.go.jp/jouhou/kokusai/saimukanri/2006/saimu02b_04.pdf

かになりましたが、バブル崩壊後の不況で再び急激な増加を見せ始め、そのペースは一段と加速しています。

下のグラフは各国中央政府の債務残高が、年間のGDPの何パーセントあるかを比較したものです。日本の比率が、先進諸国の中で飛びぬけて高いことが分かります。

かつて日本が元気だったころ、陽気な国民性が経済の停滞や政府の借金の多さとダブってナマケモノの国のごとく言われたイタリアに比べても、その突出ぶりは明らかです。今や、イタリアにもバカにされます。

「財政赤字は子孫へのツケ回しだ」と

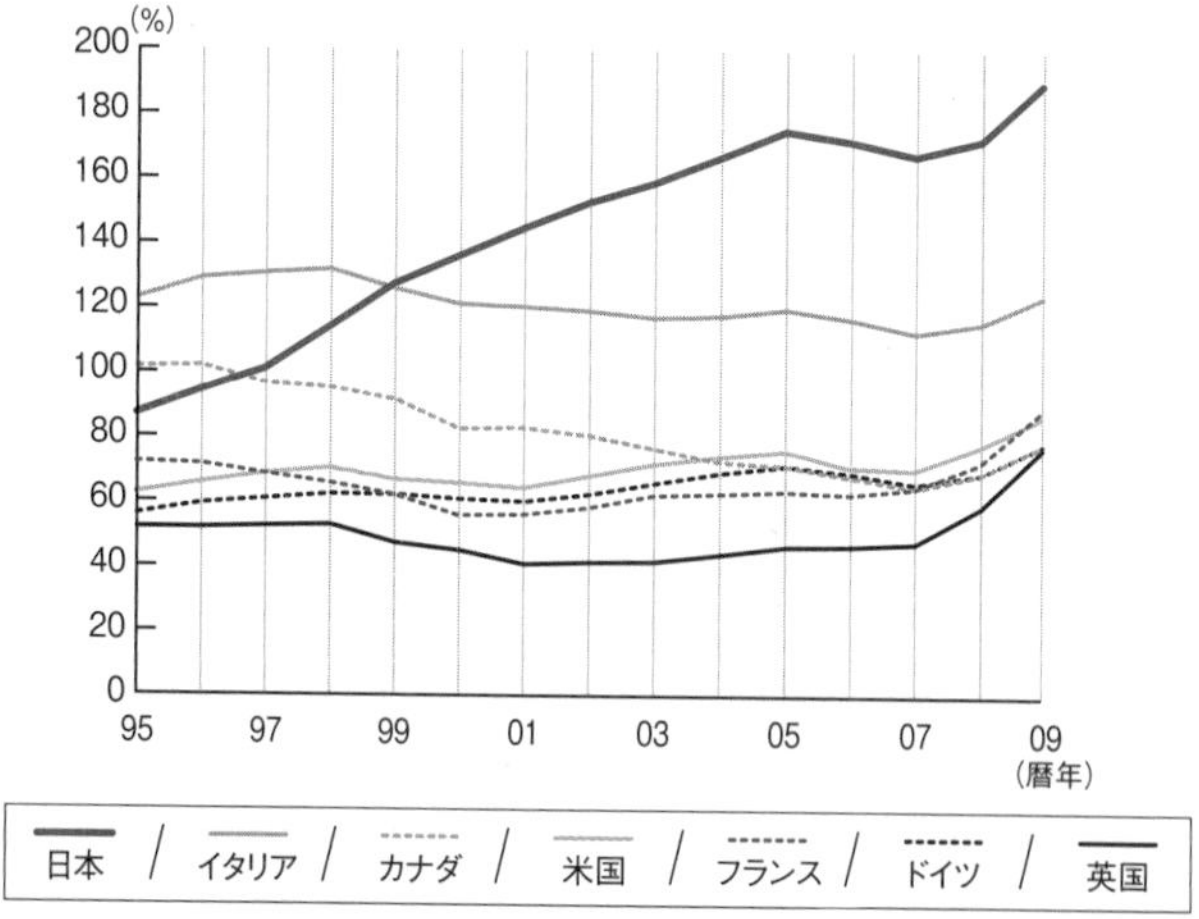

●債務残高の国際比較(対GDP比)

http://www.mof.go.jp/jouhou/syuzei/siryou/007.htm

しばしば言われますが、過去のツケが今の私たちをすでに苦しめ始めているのです。

借金に押しつぶされ始めた日本経済

次ページの円グラフをよくよく見てください。政府が1年間に使うお金がどこに向かっているのかを示したものです。いわゆる特別会計を除いた一般会計だけのグラフですが、このデータは日本の現状を雄弁に物語っています。

財政赤字が続いて政府の借金が積み上がると、3つの問題が出てきます。

ひとつは、政府が何かをやろうとしても、**お金がなくて手を打てない**という問題です。2008年度（平成20年度）の政府の予算は、支出の約25％が過去の借金の利払いや元本の償還（返済）に消えました。地方の税収不足を補う地方交付税交付金と、義務的に出ていく医療や年金などの社会保障費を除くと、**政府が使えるお金は83兆円の当初予算のわずか30％ほどにすぎません**。しかも借金が800兆円以上ありますから、金利が将来1％上がるだけでさらに8兆円（予算の10％）が利払いに消えることも、警戒しなければなりません。これでは政府も身動きが取れません。

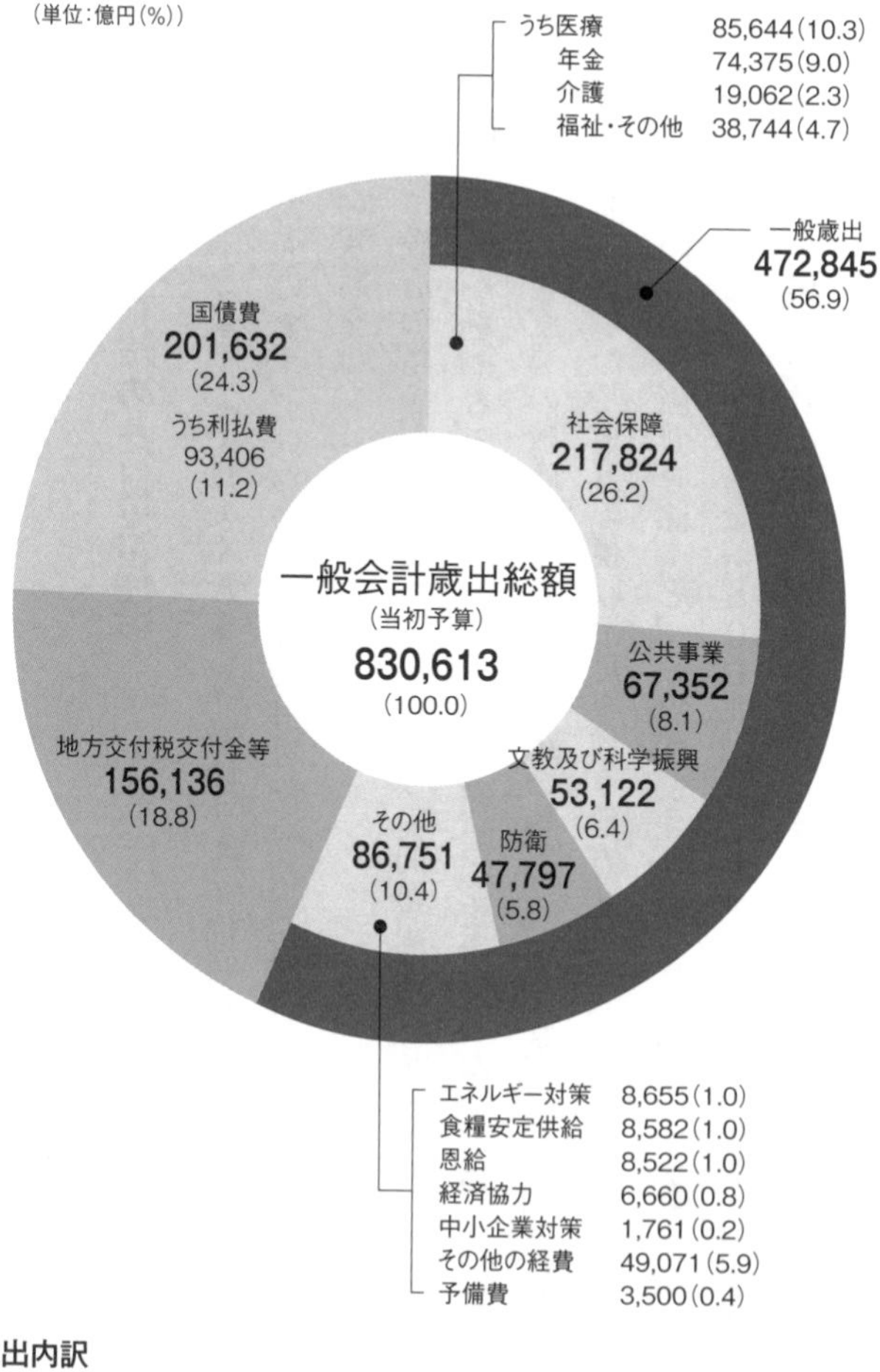

●歳出内訳

http://www.mof.go.jp/jouhou/syukei/sy014/sy014a.htm

2つめに、政府が国債を沢山発行すればするほど、高い金利をつけなければ売れなくなります。国債は日本政府が支払いを保証している借金ですから、国が破綻しない限り絶対に返してもらえる安全で安心な金融資産です。トヨタ自動車もパナソニックも、つぶれないという安心感では国にかないません。ですから、民間企業がお金を借りるには、たとえトヨタやパナソニックのような超優良企業でも、国の借金より高い金利を払わなければなりません。金利が同じなら、安全な方に貸したいというのが普通の人情だからです。

ということは、国債の金利が上がると民間企業がお金を借りる時の金利も高くなって、設備投資用のお金が借りにくくなります。住宅ローンの金利も高くなって、家を建てる人も減ってしまいます。設備投資や住宅建設は需要を増やす大きなエンジンですから、このエンジンが冷えると、**景気の回復速度に大きなブレーキ**がかかります。うっかりすると、経済が失速して不況がひどくなります。

現在、日本の**長期国債（10年満期の国債）の金利は1%から2%くらい**の間を行ったり来たりしています。なんとなく低く見えますが、日本はデフレです。物価が1%下がっている（デフレ率1%）とすると、実質的な金利水準は2%から3%くらいになります（実質金利＝名目金利＋デフレ率）。決して低くはない水準です。

3つめに、政府の借金が増えると世代間の不公平が大きくなります。政府の借金が将来のGDPを増やし、将来の税収が自然に増えて借金が減らせるなら、たとえ国債を発行してお金を使っても子孫の負担は増えません。そうでなければ、増税しない限り借金は返せません。塩爺ではありませんが、**今の世代が借金でスキヤキを食べ、将来の世代がおかゆで我慢して税金を払う**、ということになるのです。

政府の借金は既にGDPの1・7倍にまで膨らんでいます。税収はせいぜい40兆円ほどですから、国債による借金だけでも税収の14～15倍です。400万円しか年収がないのに、親の借金をその15倍も背負わされたら、子どもは生きていくのが嫌になるでしょう？　それでも子供を産んで、孫の顔が見たいですか？

わが国の借金は、この3つの問題が現実になるところまで来ています。世界の先進国の中で、日本だけが抱える特異な課題です。

物価が50倍100倍になるハイパーインフレ

それでは大変だと思っても、借りたものを棒引きにするわけにはいきません。どうしても棒引きにしたければ、最後の手段として、年間100倍ほども物価の上がる「ハイパーインフレーション」を起こすという手は残っています。国債はあっという間に紙屑になって、国の負担はなくなります。

手段は簡単です。日本銀行に**1万円札をどんどん印刷させて、そのお金で国債をジャンジャン買ってもらえばいいのです。**お札が刷れる日本銀行は、いくらでも国債を買うことができます。今は法律で原則禁止されていますが、国債の「日銀引受け」という方法です。

ハイパーインフレは、夢物語ではありません。アルゼンチンの物価は1989年に前年の50倍に上昇しました。50倍で不足なら、ジンバブエが2008年7月に年間230万倍のインフレを経験した例があります。人々はトランクに札束を詰めて、レストランに行きました。日本でも戦後の一時期、物価が100倍に上がりました。

実際政治家や学者の一部から、デフレ対策として政府紙幣を発行せよという意見が出ています。いろいろな制約がある日本銀行に代わって、**政府がお札を刷ればいくらでもモノが買える、需要が増える、借金も返せる**ということです。モノやサービスの生産量が増えない中で出回るお金の量が増えれば、長期的にはお金が増えた率だけ物価が上がる、上手にやればデフレも収まるということでもあります。紙代やインキ代はタダ同然ですからお札はいくらでも刷れます。日銀総裁を説得して国債を引き受けさせるより、手間が省けて簡単です。

ただそんなことをすれば、国際社会で「日本円」の信用が一気に低下します。通貨としての信用がなくなれば**円の価値は暴落し、物価は暴騰**を始めます。いったん暴れ出した悪性のインフレは制御できません。石油も食料も輸入に頼る日本で、円の信用がなくなることは致命的です。

前年比50倍の物価上昇を招いたアルゼンチンも、20世紀初頭には農業と酪農で栄えた豊かな国でした。国民の不満を宥《なだ》めるために政府がとったばらまき策が財政赤字を膨らませ、**国の成長力を奪って世界の檜舞台から去った**のです。これが日本で起こらない保証はありません。

ハイパーインフレが嫌なら、節約して返すしかありません。厳しい緊縮財政が必要になります。

税率を引き上げて支出を抑えるのですから、痛みが伴います。これ以上借金が重なれば、政府はいずれ時代劇の悪代官なみの苛斂誅求《かれんちゅうきゅう》ぶりを発揮する必要に迫られます。苛斂誅求、分かりませんか？　辞書をひいてください。悪代官の犠牲になるのは将来の自分たちであり、我々の子どもや孫たちなのです。

✸実は日銀引受けは始まっている

国債の日銀引受けは、原則として禁止されていると書きました。実は、**中央銀行による公債（国債など）の引受けは**、**先進各国で制度的に禁止**されています。日本だけが禁止しているわけではありません。中央銀行というのは政府の銀行のことで、日本では日本銀行のことです。公債は政府が借入れのために発行するさまざまな借入証（証券）で、日本の国債もそれに当たります。

なぜ禁止するかって？　理由ははっきりしています。先進各国が苦い経験を繰り返して、骨身に染みてそれはマズいと学んだからです。「お金をいくらでも印刷することができる中央銀行がいったん政府にお金を供給し始めたが最後、政府の財政に対する節度が失われ、お札の増刷が止まらなくなり、世の中に出回るお金が膨大になって悪性のインフレ（ハイパーインフレ）が起こる」というのが、その教訓です。

多かれ少なかれ**国民の人気が頼りである政治家**が、たとえ無意識にでも、お金を使うほう、使うほうへと流れ勝ちなのは日本だけではありません。財政には、何らかの制度的な歯止めが必要なのです。

日本も、日銀引受けによる大量の国債発行が引き起こした戦後のインフレで惨憺《さんたん》たる経験をしました。それを背景にして、国債の発行と日銀引受けが法律で禁止されたのです。その後は今日に至るまで、政府の財政が苦しくなるたびに規制が緩められ続けてきました。

今では、満期が来る国債の借換えのためなら、一定の制約の中で日本銀行が国債を引き受けてもよいという例外規定が作られるところまで緩和が進みました。部分的とはいえ、日本銀行による国債の引受けが始まったのです。この制度を始める時には結構大きな議論がありましたが、結局は赤字に苦しむ政府に日本銀行が押し切られました。背に腹は替えられない、ということです。

日本の財政規律の緩みはここまで来ています。子孫につけを残さないために、なにより日本を滅ぼさないために、覚悟を決めて財政を立て直すほかないのです。

そしてもうひとつ、日本では恐ろしいことが起こり始めています。我々の貯蓄が目に見えないかたちで国の借金に消えている一方で、そもそもその**借金を支えてきた貯蓄自体が目に見えるかたちで減り始めているのです。**

家計が貯蓄をやめている

　下のグラフを見てください。増え続ける政府の借金と裏腹に、かつては世界的にも高い水準にあった家計の貯蓄率が減り続けています。21世紀に入ってから、特に低迷が目立ちます。1970〜80年代は5〜7％にとどまっていた**貯蓄ゼロ世帯の割合が2004年には22％近くになった**と報じられ、若年層を中心に貯蓄を全くしない世帯が増えています。高齢化が進んだことに加え、不況の長期化で家計が疲弊の度合いを強めていることが原因です。

　国民の高い貯蓄意欲が企業や政府への潤沢な資金供給源となり、設備投資や社会イ

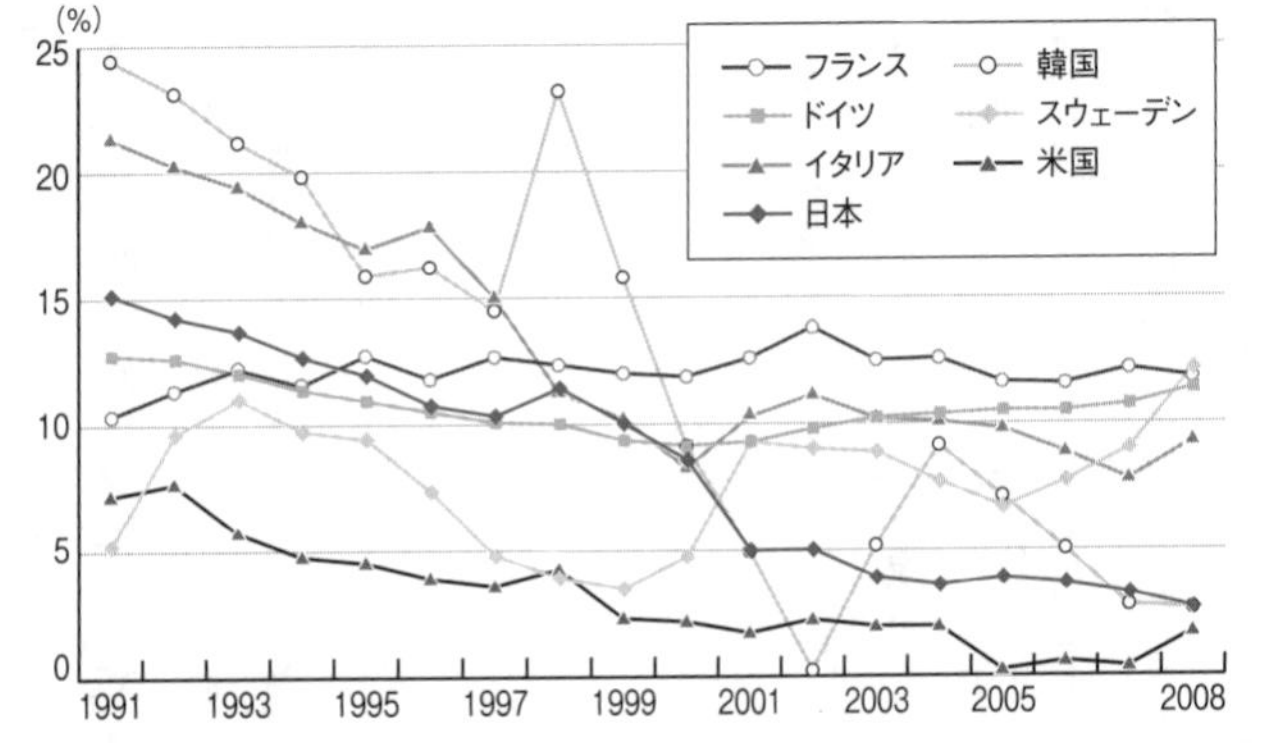

（注）家計貯蓄率＝家計貯蓄÷家計可処分所得（ただし家計貯蓄＝家計可処分所得－家計消費支出）

●主要国の家計貯蓄率の推移

OECD Economic Outlook No85（July 2009）
http://www2.ttcn.ne.jp/honkawa/4520.htmlを転載

ンフラの整備を促して日本の成長を支えてきました。

経済成長が所得を増やし、**増えた所得が貯蓄を増やし、貯蓄が投資に回ってさらに経済を成長させる**というのが**高度成長時代の日本経済**です。間接金融が、その橋渡しをしました。膨大な国債の90％以上が国内で売れたのも、この潤沢な貯蓄のおかげです。もしこの先も貯蓄率が下がり続け、さらに貯蓄の取り崩しにまで進めば、既に怪しくなってきているこの好循環が完全に途切れます。

貯蓄率の低下が金利の上昇を招く

国民の貯蓄に頼っている国債は、貯蓄率が下がると大変です。預貯金が増えなければ、銀行や郵便局が新しい国債を買う余裕はなくなります。預貯金の残高が減り始めるようなことになったら、満期を迎えた手持ちの国債を買い換えることすら難しくなります。

一方政府は、古い国債の期限が来れば新しい国債（借換債《かりかえさい》）を売り出して返済資金を借り直さなければなりません。借換債が売れなければ、古い国債が返済できません。財政赤字が続けば新しい国債の発行も必要です。国債を売るために、金利を引き上げて国債の魅力を高めざるを得なくなります。国債の金利が上がれば、それにつれて国内の金利が全般的に上がってしまいます。企業が設備投資資金を借りる際の金利も、家計が住宅ローンを借りる金利も上がるのです。その分、民間企業や家計の借入れは難しくなります。「官と民とはトレードオフ」という状況が、貯蓄率の低下によって厳しさを増します。貯蓄率が下がったからといって、家計の消費がどんどん増えるわけではありません。経済の停滞ですべてが縮んでいるからです。ここにも、**国際競争力を失いつつある日本の現状**が投影されています。

1400兆円の個人預金一斉引き出し

借換債が売れなくて、古い国債の返済が滞《とどこお》れば国の信用がなくなります。国の信用に裏付けられて流通している「円」も信用を失います。そんなことになったら、日本は破滅です。政府が**国債の日銀引受けの禁止に例外を設け、借換債に限って引受けを開始した背景**にはこういう現実があります。日銀引受けは、打ち出の小槌ではありません。やりすぎれば、悪性のインフレが起きるからです。

そうかといって、貯蓄率がこのまま低下を続けてやがてマイナス（貯蓄が引き出される状況）にでもなれば、銀行も郵便局も国債を買ってはくれません。外国に売ろうとすれば、買い叩かれて国債の値段が下がります。

公的債務残高の多いギリシャが、最近、そういう目にあっています。財政状態が悪化したことをきっかけに格付け会社がギリシャの格下げに動き、ギリシャ国債の金利はドイツ国債より2％以上も高くなってしまいました。財政状態が悪いといっても、**ギリシャ政府の借入れ残高はGDPの1・1倍程度です。**

GDPの1・7倍もの政府債務を抱える日本が、国債の購入を外国に頼ったら、いったいどうなるのでしょう。貯蓄率がさらに下がって国内で国債が売れなくなれば、たちまちそういう問題に直面します。ちなみに、格付け会社というのは、**政府や企業の借金がどの程度確実に返済されそうか**ということをAとかCとかいう記号で表示することを商売にしている会社です。

所得が伸びず高齢化がさらに進めば、貯蓄の取り崩しが始まらないとは限りません。約1400兆円の個人預金が一斉に引き出されたら国は破滅する、というシナリオが貯蓄率の低下というかたちで忍び寄っています。

ボチボチ損して、ドンと稼ぐ

国債価格が下がり、金利が暴騰すると円相場は暴落します。いったいなぜか？　円相場が暴落すると何が起きるのか、これも今後考えられる恐怖のシナリオのひとつです。国債金利が暴騰するとなぜ円相場が暴落するのか考える前に、逆に短期の為替相場は読めないという方の話から始めます。

外国旅行に行く時、「円を売って」ドルやユーロを買います。逆に帰国した時には、ドルやユーロを売って円を買い戻します。売ったり買ったりするものですから、値段がつきます。それが為替相場です。

為替相場はどう動くのか。あなたが、いろいろな情報を常に人より早く手に入れることができる立場にいるか、あるいは稀に見る天才で他人が全く知らない独自の情報分析方法を持っているのでない限り、あ、それからもうひとつ、あなた自身が相場に影響を及ぼすくらい有名かお金を持っているのでない限り、**明日の相場がどうなるかは基本的に「神のみぞ知る」**というのが正解だと私は思います。

円相場の分析は、過去の相場の推移を示す「罫線」やいろいろな経済指標（「ファンダメンタルズ」）を使ってさまざまに行えますが、これらを使って相場の「転換点」を事前に予測することはできないというのが学者の世界の一般的な結論です（効率市場仮説）。

転換点というのは、**相場が上昇傾向から下降傾向、下降傾向から上昇傾向に変わる瞬間**のことです。相場で勝ち続ける人はいます。ですがその確率は、さいころを投げて「6の目」を出し続ける人がいるのとほぼ同じだということです。勝ち続ける人の陰には同じ確率で負け続ける人がいて、そちらは表に出てこないだけ、というわけです。

為替相場の先が読めれば、稼げるはずです。為替相場で稼げるか、ということで考えてみましょう。明日の相場は神のみぞ知ると言いましたが、「これからは円高だ！」とほとんどの人が信じていれば、ジワジワと円高が進みます。そういう意味では「相場は読める」のです。「相場が読めない」と言わずに「転換点を事前に予測することができない」と言ったのは、そのためです。これにはワケがあります。

皆が円高だと信じている間は、その流れに乗って円を買っていれば儲かります。ただし、**皆が同じことをしているのですから儲けはボチボチ**です。ところが、流れが「これからは円安だ！」と反転した瞬間、同じことをしているそのほとんどの人が一斉に円を売りに出します。円を売りたい人ばかりで買う人が急に少なくなるのですから、円を抱えている人はドンと損する可能性が大です。ボチボチ稼ぎ続けてドンと損をすれば、結局はチャラです。

確実に稼ぐには、「相場が反転する」と人々が感じて円を売り始める前に、あなただけが、「明日からは相場が反転する」と確実に知って、**人より早く、未《ま》だ買う人が沢山いるうち**に、円を売らなければなりません。ですから「転換点が事前に分かるかどうか」ということがポイントなのです。人と反対のことをやっているひねくれ者は、ボチボチ損をしてドンと稼ぎます。相場師の間で有名な格言があります。「人の行く裏に道あり、花の山」。この人たちも、転換点が人より先に読めなければ稼げません。

相場の「罫線（過去の足取り）」を見ると、為替相場の傾向が鮮やかに浮かび上がってくるような気がしませんか。上昇傾向の罫線を見れば、いかにも買ってくれ、とグラフが語りかけてくるような気がします。でも、そこに傾向があるかどうかは実は怪しいのです。

試しに、こんなことをしてみてください。10円玉とグラフ用紙を用意します。グラフ用紙の左下隅に点を描きます。「今日の相場」です。さて、10円玉を投げて表が出たら、グラフ用紙の1目盛り分の斜め45度右肩上がりの線を描きます。裏が出たら逆に右肩下がりです。今描いた線の先端に点を描くと、それが明日の相場です。「明日の相場」を表す

「点」を出発点にして、同じように10円玉を投げて「明後日の相場」の点を描きます。

10円玉の表と裏が表、裏、表、裏、表、裏……と交互に規則的に出ることはめったにありません。表、表、表、裏、裏、表、裏、表、表、表……と出るにまかせてその線を延ばしていって、できた線を眺めて見てください。為替相場と実によく似た「罫線」ができあがります。あなたはその線を見て、次が表か裏かを予測できますか？　金利や株や為替を使ってそれを徹底的に研究した学者さんたちがいます。結局、読めないと諦めたようです（これを経済学的にはランダム・ウォーク〈千鳥足〉仮説といいます）。

円キャリー取引に見る法則の矛盾

金利の低い円を借りて金利の高い米ドルを買い、**米ドルで預金して日米の金利の差額を稼ぐ**「円キャリー取引」というものがついこの間まで盛んに行われていました。円を売ってドルを買うのですから、**為替相場は円安ドル高**に動きます。その後米国の金利水準が下がって、円キャリー取引を解消するために米ドルを売って円を買い戻す動きが出ています。これが最近の円高の原因のひとつ、ということが言われます。これは事実です。

そうすると、「金利の高い国の通貨は高い」という常識ができあがります。相場のプロの多くは最近、これを信じて取引をしています。新聞雑誌の論調も同じです。

ですが金利水準の高い国というのは、一般的にはインフレ傾向の強い国です。物価が上がっていくのですから、今日100円で買えたものが明日は120円になる、つまり、100円で買えるものが少なくなっていきます。これは、**通貨の価値がだんだん下がっていく**ということです。そうすると「金利の高い国の通貨は安くなる（購買力平価）」というさっきの常識とは逆の法則ができあがります。購買力平価についてはこのあと説明します。

「金利の高い国の通貨は安くなる」の教えとは逆の、「金利の高い国の通貨は高くなる」という現在の動きは、金余りの中で世界を駆け巡る「投機資金」が沢山あって、**金利が高い通貨と見ればすぐに飛びつく**という、いつまで続くか分からない現象がある時にだけ当てはまる法則です。

為替相場で確かに分かること

そんなよく分からない為替相場ですが、ひとつだけ確かなことがあります。今日、**直ち**

に米ドルを売ったり買ったりする時の相場を直物相場《じきもの》（スポット相場）といいます。外国為替市場には、先物相場《さきもの》というものもあります。

先物相場は、1年後に米ドルを売買しよう、その時の値段を今日のうちに決めておこう、という時に適用する相場です。「金利の高い国の通貨の先物相場は直物相場に比べて必ず安い」というのが、確実に成立する金利と為替相場の関係です。

架空の相場で説明します。米国の金利水準が10％、日本の金利水準が0％、今日の米ドルの値段が1ドル当たり100円だったとします。この時、米ドルの1年物先物相場（1年後に受け渡しする米ドルの予約値段）は間違いなく90円91銭です。なぜそうなるか。

あなたが1万円持っているとします。この1万円を向こう1年間円のまま運用したら、金利は0％ですから、1年後も1万円のままです。今日、100ドル買って米ドル預金をしたとします。100ドル買うのに必要なお金は1万円です。1年後には、10ドルの利息がついて110ドル手に入ります。110ドルを90円91銭で売れば、ちょうど1万円が手に入ります。金利で10ドル（909円）稼いだけれど、元本を為替で909円損して、結局は円で運用したのと同じということです。

もし、先物相場が100円なら、為替で全く元本の損が出ません。金利の10ドルは丸儲けです。そんな「ウマい話」があれば、誰も彼もが米ドルを買ってドル預金をし、先物予約をします。そうなれば、先物と直物の差が金利の差と同じになるまで直物相場が上がって先物相場が下がります。金利の高い通貨の先物が直物より安くなるよう、**相場が自然に調整される**ということです。この関係を「インタレスト・パリティー」といいます。「インタレスト」は金利、「パリティー」は裁定という意味ですが、インタレスト・パリティーのままの方が通りのよい言葉です。

為替相場でだいたい分かること

1年後の先物相場は、インタレスト・パリティーに従って自動的に決まります。これに関連して、「1年後の実際の直物相場は、今日約束する1年後の先物相場に近くなる（先物相場は将来の直物相場を表す）」という関係があります。先の例だと、1年後には**1年前の予約で決めた90円91銭の先物相場が実行**されます。そうすると、その時の直物相場も90円91銭に近い値段でなければおかしい、というものです。これを「フォワード・パリティー」といいます。

「フォワード」は「将来の」という意味です。これは、そういう可能性が高い、というだけで、インタレスト・パリティーのように絶対そうなるというものではありません。1年後の実際の為替相場は、2国間の**金利差だけでなく、これから1年間に世界中で起こるさまざまな出来事を反映して決まる**からです。

もうひとつ、購買力平価（パーチェシングパワー・パリティー）という考え方があります。これは、「為替相場はそれぞれの通貨の購買力を反映して決まる」という関係です。世界中で同じ商品を売っているハンバーガーチェーンM社の「極上バーガー」という商品が、日本で300円、アメリカで3ドルだとします。

今日の為替相場は1ドル100円です。1年後に「極上バーガー」の値段が、デフレの進む日本では250円、アメリカでは3ドルのままだったとします。この場合、1年後の米ドル相場は、250円÷3ドルで、1ドルあたり83円33銭になっているはずです。1年間で16円67銭の円高・ドル安が進んだ勘定です。

理屈は簡単です。昔も今も3ドルで「極上バーガー」1個が買える米ドルの価値は変わっていません。300円で「極上バーガー」1個を買って50円のおつりが来るようになった「円」の価値は上がっています。円の価値が上がったから円高になるのです。1ドル83円33銭なら3ドルは250円、つまり、3ドルで去年と同じように日本のM社の「極上バーガー」1個が手に入るのです。世の中にはさまざまな商品がありますから、これほど単純に為替レートが調整されるものではありませんが、理論上はそうなります。

金利の暴騰は円相場暴落の引き金

3つのパリティーの話をしました。おさらいです。

●金利の高い国の通貨の先物相場は、直物相場に比べて安い。これは常に成立する金利と為替の関係です。（インタレスト・パリティー）

●先物相場は将来の直物相場を表す。（フォワード・パリティー）

●為替相場はそれぞれの通貨の購買力を反映して決まる。（購買力平価）

この3つを合わせると、次のようなことが見えてきます。

国債の暴落と国債金利の暴騰が、同じコインの裏表であると既に説明しました。国債が暴落すると金利が暴騰します。日本の金利が暴騰するということは、諸外国に比べて日本の金利が圧倒的に高くなるということです。そうなると、インタレスト・パリティーに

従って円の先物相場は暴落します。あまりに金利差が大きければ、世界中にどんな相場のかく乱要因があろうとフォワード・パリティーがそれらに勝って働いて、円の直物相場も暴落した先物相場を追いかけて暴落します。さらに、金利が無茶苦茶高いというのは、まず間違いなくとてつもないインフレかスタグフレーション（不況の中で物価が上がる）が起きていることと同じですから、**円の購買力が極端に落ちて円相場は同じく暴落**します。購買力平価説が教えるところです。

そもそもそんな理屈を並べるまでもなく、国債が暴落するということ自体、日本政府が世界の信認を失うということです。政府が信認を失えば**国の信用を背景に価値を保っている「円」**も信認を失います。円が信認を失えば、円相場が暴落するのは理の当然です。三つの「パリティー」がこの直感を裏打ちしています。

えっ？　「世の中、円高で輸出産業が困るって騒いでるじゃないか、円が暴落してどこが悪い?!」ですって？　話は単純です。円が暴落するということは、**高い金を払わなくては外国製品が買えない**ということです。

外国製品の中には、原料も飼料も肥料も、原油などのエネルギーもみんな含まれます。原料価格が激しく上がったら、製品価格も上げなければいけません。それどころか、本当にひどい通貨暴落となったら、国民を養うのに必要なあらゆる物品を手に入れることが難しくなるのです。その先にあるのは、ハイパーインフレーション、そして最悪、餓死です。

通貨は、短期的には強すぎると困ることがあります。しかし、基本的に「通貨の強さ」は、あらゆる意味での「国の強さ」と連動するものです。それが暴落するということは、**国全体が奈落の底に沈む**ということにほかなりません。

本項の結論です。財政赤字を国債という借金で賄《まかな》うことを続ければ、いつか必ず国債が暴落し、金利が暴騰して、**円が暴落し**、**国家滅亡の引き金を引く時**がやってきます。以上が、長い目で見た時の、日本の抱える最大の恐怖です。暴落を防ぐためにはどうするか？

それを考える前に、日本が抱える目下の恐怖、デフレについて考えてみましょう。

4 デフレ克服のシナリオはあるのか？

需要が生産力より小さい

おさらいです。労働力、生産設備、技術がどのくらいあるかによってその国の生産能力、つまり毎年どのくらいのGDPを生み出せるかが決まります。これらの要素が毎年どのくらい増えそうかを見れば、この先どのくらいのスピードでGDPが大きくなるかが分かります。これがその国の潜在的な成長力です。

「潜在的な」と前提をつけるのは、**実際のGDPが必ずしも能力どおり増加するとは限らない**からです。労働力、生産設備、技術がフルに使われていればいいのですが、労働力が余っている、つまり失業があると、実際のGDPが潜在的な生産力より小さくなります。設備が遊んでいても同じです。労働力や設備が遊ぶのは、目一杯製品を作っても売れないからです。つまり、**有効な需要が生産力より小さい**からです。これを「デフレギャップがある」といいます。デフレギャップがあると物価が下がります。「デフレ」は物価が下がり続けている状態、「ギャップ」は、あなたと私の考え方にはギャップがある、と言う時のギャップです。

逆に、労働力や設備が使われすぎている状態を「インフレギャップがある」といいます。設備や労働力が「使われすぎている」というのは、普通の状態以上に使われているという意味です。求職期間がありますから、労働力には3％から4％くらいの失業率があるのが世界的に見て普通です。更新や点検が必要な設備も同じです。

失業率が1％以下、というような状態になると**求人競争が過熱して給料が上昇**します。これが「使われすぎ（過熱）」の状態です。有効な需要が生産力を上回っている、ということです。生産能力以上に作っても売れてしまうのですから、モノやサービスが不足して物価が上がります。「インフレ」は**物価が上がり続ける状態**です。

デフレギャップがあると、折角の労働力が活かされないで物価や給料が下がります。給料が下がるとモノが売れなくなって、ギャップが拡大します。これが消費者心理を冷やすとさらにモノが売れなくなって、景気がどんどん悪くなります。インフレギャップがあると企業は**給料を上げて人を雇い**、**設備を増やして生産を拡大**しようとします。給料が増えると消費が増えます。景気が過熱して物価がどんどん上がり、行きつくところまで行くと限界がきます。

欲しいモノと買うお金

欲しいモノがあって買うお金がある、これが有効需要です。欲しいモノがあってもお金がなければ買えません。お金があっても欲しいモノがない、あるいは使おうとしなければ需要は生まれません。主な需要は家計の消費や住宅投資、民間企業の設備投資、純輸出（外需）、政府の消費と投資（公共事業など）、です。

家計の消費（個人消費）は日本のGDPの52％を占める最大の需要項目です。ひとりひとりを見れば「今日は贅沢した、今日は節約した一日だった」というバラつきがあるでしょうが、**1億2800万人をまとめてみれば、生活パターンは比較的安定しています。**誰かが多く使った日は別の人が節約している、というかたちで、全体として見ればあまり変動しない項目です。

普段はあまり大きく変動しないのですが、国民全体の生活パターンやフトコロ具合が変われば話は別です。あなたも私も隣の人も、日本中が**「節約、節約」と言い始めたら個人**

消費は低迷します。欲しいと思っても、お金がなければ買えません。ＧＤＰに占める最大の需要項目ですから、何かの原因でこれが大きく変動すれば、ＧＤＰに与える影響は甚大です。消費者心理が景気を冷え込ませる、といわれるのはこのためです。

民間企業の設備投資は景気の見通しに左右されやすく、比較的短い周期でＧＤＰを大きく変動させる要因になる需要項目です。景気の先行きが明るく有効需要が高まると思えば企業は生産を増やそうとしますし、逆なら減らそうとします。ＧＤＰに占める割合は個人消費に比べて小さいですが、変動幅が大きい分、景気に与える影響は甚大です。日本の景気変動の原因を作ってきたのは民間企業の設備投資だ、といっても言いすぎではないほどです。

外需は家計や民間企業の設備投資と違い、国内の市場に縛られない需要です。世界が相手ですから、国内が不景気な時は大いに頼りになります。その代わり、円高・円安や主要な輸出先国の景気動向、**貿易摩擦などの影響を受けやすい不安定さ**を持っています。

政府は、個人や企業の分け前から税金を徴収して使います。足りなければ国債で調達することも可能です。市場の動向とは無関係に政府の意思で収入や支出をコントロールできるので、政府の消費や投資はしばしば「経済対策（財政政策）」に用いられます。

財政政策と金融政策

インフレギャップやデフレギャップが大きくなると、政府や日本銀行が「財政政策」か「金融政策」、あるいはその両方でこの波を消そうとします。

財政政策は、**政府や民間が使うお金を調節して需要と供給の差を縮めること**です。公共投資を増やせば政府の需要が増えます。減税すれば民間が使えるお金が増えて民間の需要が増加します。「地域振興券」や「定額給付金」「定額減税」などは、単なる人気取りという見方もありますが、経済学的には、**政府が税金や国債で吸い上げたお金を民間に移転し**、この民間の需要を増やす方策のひとつです。

金融政策は発行するお金の量を増やしたり減らしたりして、日本銀行が景気やインフレを調節することです。

お金の供給を増やして世の中が「金余り」になれば、金利が下がって借金がしやすくなります。家の購入や設備投資が容易になって、需要が増えます。お金の流通量が増えますから、実質GDPが同じなら物価を上昇させる効果もあります。お金の供給を減らせば、逆の動きになります。

政府の成長戦略が必要なワケ

財政政策や金融政策は、一時的な需要の減退や作りすぎが原因で経済が不況に陥った時、あるいはその逆の時、つまり、一時的なインフレギャップやデフレギャップが生じた時、それを調節して経済を安定的な成長軌道に戻すのに使うことが基本です。経済は長期的に見れば、潜在的な成長力以上には成長しません。経済を安定的に成長させるには、潜在的な成長力を高める以外に方法がないということです。それを無視して**財政政策や金融政策をもてあそぶと、経済がますます不安定になる**こともあり得ます。

財政政策は、国の潜在的な成長力に影響を与えます。政府が上手に税金や借金を使えば将来の成長に役立つ設備や技術が蓄積されますが、無駄な箱物やまともに仕事をしないお役人の給料に消えれば成長の糧《かて》が底をついてしまいます。

国家的な観点から技術の開発や活用をどのように方向づけ、どういう産業を育て、労働力の供給や流動性をどのように確保するか、そして日本の産業と企業の国際競争力をどう高めて日本を豊かにするかといった施策は政府の財政政策に反映されます。政府は、**成長戦略を立案し、それを国民に示す必要があるのです**。「どうせこの国はもう……」という気分が家計や企業に広がり、国の成長への期待が萎《な》えたら大変です。家計は消費を引き締め、企業は国外に逃避して設備投資を減らし、景気の足を引っ張ります。

政府は、生み出された経済成長の果実を合理性、納得性、公平性、透明性のある方法で国民や世界に配分する役割も担っています。頑張った人にきちんと報いること、弱者を保護すること、**将来の成長に備える**こと、発展途上国や環境に貢献して日本の安全と安定をはかること、果実の使い道はさまざまですが、これらもすべて政府の経済政策のあり方次第です。

新聞に「定額給付金は実際どのくらい消費に回ったのか」という記事が出るのは、政府が赤字を増やして実施した財政政策の効果がどのくらいあったかを考えてみよう、という趣旨です。政府の懐《ふところ》が苦しい今日、財政政策はできる限り効果的に実施しなければなりません。

選挙の前に大盤振る舞い、というのはわが国だけの現象ではありません。目先の利益に惑わされてそのような勝手な行動を許すと、やがて**泣くのは将来の私たち自身と子どもや孫の世代**です。皆さん、よく目を凝《こ》らして経済政策の真実を見極めてください。

インフレ、デフレの原因は何だ？

国内で売り買いされるモノやサービスの量が毎年同じ場合、つまり、実質GDPが毎年同じ場合、**国内に出回っているお金の量が倍になれば物価は倍**になります。お金の量が半分になれば物価も半分になります。国内に出回るお金の量は日本銀行が調節します。うーんと長い期間で見れば、インフレ、デフレはそれだけの単純な話です。実質GDPが2倍になればお金の量も2倍にする、半分になれば半分にする。こうすれば物価は基本的に変わりません。

ところが、短期的にはいろいろなことがインフレ、デフレに影響します。「いろいろなこと」は次から次へと起きますから、長期的な結果は永久に見えません。目の前にあるのは常に**短期的な影響を受けたインフレ、デフレの姿**です。例えば、インフレ心理やデフレ心理、つまり皆が「当分はインフレが続きそうだ、デフレが続きそうだ」と思うこと自体がインフレ、デフレを招きます。生産と需要のタイミングがずれて物不足や物余りが起きることもあります。昔のトイレットペーパー騒ぎ、最近ではマスクの不足がありました。

ああいう事態がもう少し幅広く長く続けば、インフレ、デフレにつながります。政府が

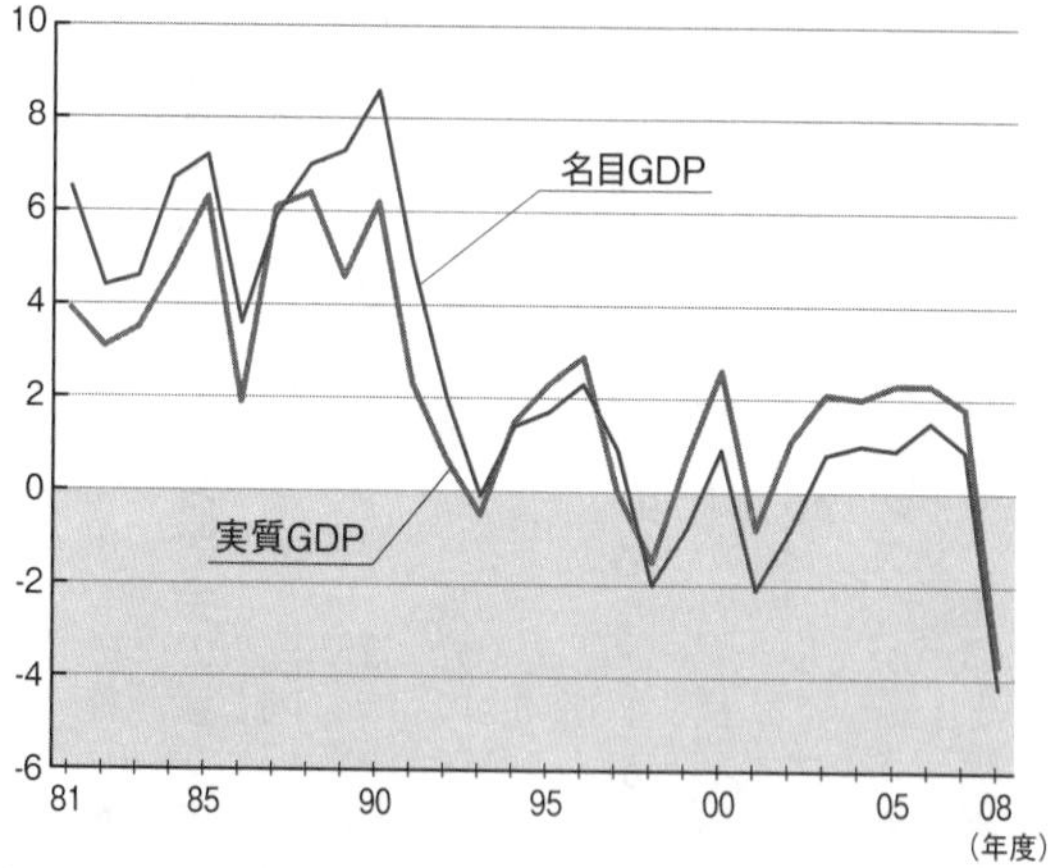

	名目	実質
1981	6.5	3.9
1982	4.4	3.1
1983	4.6	3.5
1984	6.7	4.8
1985	7.2	6.3
1986	3.6	1.9
1987	5.9	6.1
1988	7.0	6.4
1989	7.3	4.6
1990	8.6	6.2
1991	4.9	2.3
1992	2.0	0.7
1993	-0.1	-0.5
1994	1.4	1.5

	名目	実質
1995	1.7	2.3
1996	2.3	2.9
1997	0.9	0.0
1998	-2.0	-1.5
1999	-0.8	0.7
2000	0.9	2.6
2001	-2.1	-0.8
2002	-0.8	1.1
2003	0.8	2.1
2004	1.0	2.0
2005	0.9	2.3
2006	1.5	2.3
2007	0.9	1.8
2008	-4.2	-3.7

(GDP:年度)

●経済成長率推移

内閣府HP

だ、日本銀行がどのくらい赤字（または黒字）を出して経済を引っ張ろうとしているかとか、世の中に供給するお金の量をどういうタイミングで変えるかも影響します。いろいろなものが複雑に絡み合って、目の前のインフレ、デフレの姿を決めるのです。

1994～95年ごろから名目成長率が実質成長率を下回り始め、2001年に政府は初めて日本経済がデフレ状況にあることを認めました。以来、日本ではデフレ状態が続いています。前ページ下の表を見ると、**実質成長率が名目成長率を上回る期間**が随分長く続いていることが分かります。物価が下落し続けているということです。その上はそれをグラフに表したもので、名目成長率が実質成長率より下にあるところが物価の下がっている期間です。今日本は、長引くデフレに苦しんでいます。

インフレ、デフレは富の分配を歪める

デフレから脱却するためには何でもやろう、という雰囲気が芽生えています。しかし、デフレは悪いこと、インフレは望ましいことなのでしょうか。本当はよく分からないのです。物価が毎年3％上がって、給料も3％上がって、預金の利息もローンの利息も3％だ

け普通より高くなって、というようにすべてが同じように調整されるなら、インフレは痛くも痒くもありません。デフレも同じです。

インフレやデフレが予想の範囲内で安定的に続いているなら、国民はそれを織り込んで取引します。従って、実質的な経済活動はそれほど大きな影響を受けません。インフレやデフレが大きな問題になるのは、予測できない急激な変化が起きた時だけです。

そうはいっても、**インフレ、デフレで確実に損得が生じる人たちがいる**のは確かです。条件を変えることのできない資産や負債を「既に」持っている人たちです。既にお金を借りている人はインフレで得をします。既に貸している人は損をします。物価が倍になれば、返す時のお金の価値が借りたときに比べて半分に下がっているからです。日本最大の借金王は政府です。企業も結構借りています。年金も完全にはインフレにスライドしません。これは既に条件の決まった政府の借金と同じです。

ここで、「既に条件の決まった」と、あえて条件をつけるのは、一般にインフレの時には金利が上がり、デフレの時には金利が下がって、新しく契約する貸し借りはインフレ、デフレを織り込んだ条件で行われるからです。

インフレになれば、政府が新たに国債を発行して国民に借金する場合や、国債が満期になって借り換える場合に、政府の金利負担が増えるという問題が起きます。これはこれで、大変な問題ですが、とりあえず、既に金利が決まっている分については、**インフレが起きれば確実に返済負担が減少**します。特に1年で物価が100倍にもなるという極端なインフレ（ハイパーインフレ）なら、一瞬にして、多くの借金は実質チャラとなります。インフレが起きれば政府の借金負担は確実に軽くなり、デフレが続けば重くなります。

いずれにせよ、ハイパーインフレの場合に、金の貸し手はあっという間に財産を失い、借金している側は、何もしなくても、**借金が実質棒引き**になります。逆に極端なデフレの下では、現金を持っている人は、所持金の額は同じでも、物価が下がって同じ金額で買えるものが増える、つまり実質的な財産の価値がどんどん増え、逆に借金している人は、給料が下がる中、金額は同じでも実質的により重い借金返済を強いられることになるのです。

つまり、インフレもデフレも、既存の富の分配に影響を与える、あるいは現状の社会のバランスを大きく歪める原因になるという、重大な問題を抱えています。

デフレの根にある本質的な問題

それにもかかわらず、インフレ待望論はなぜ出てくるのでしょう。バラ色のシナリオがあるからです。失業者が大勢いると、物価が上がっても給料を上げる必要がありません。インフレで商品の値段が上がるのに、人件費をはじめとする生産コストはすぐには増えませんから企業は儲かります。お金の価値が下がって企業の借金の負担も軽くなります。企業が儲かれば**法人税収が増えて政府の赤字が減り、民間の設備投資も増えて需要が拡大し**ます。需要が拡大すれば企業は生産量を増やすために人を雇い、失業者が減ります。

失業者が減れば個人消費が回復し、企業は設備投資を増やします。人手不足になれば給料も上がります。景気が回復軌道に乗ってめでたしめでたし……。まずは需要を増やしてインフレにすることが大事だ、さあ、国債を発行して家計にお金を配ろう。

あなたは、次のようなことが起きている時に、このバラ色のシナリオが実現すると信じますか？

例えばの話です。1年前、お店に並ぶコットンのシャツは1万円しました。日本の農家が綿を栽培し、日本の繊維業者が生地を織り、日本のアパレルメーカーが裁断して縫製し

◎本書をお買い上げいただき、誠にありがとうございました。
質問にお答えいただけたら幸いです。

◆「日本経済の真実」をお求めになった動機は？
① 書店で見て ② 新聞で見て ③ 雑誌で見て
④ 案内書を見て ⑤ 知人にすすめられて
⑥ プレゼントされて ⑦ その他（　　　　　　　　　　　）

◆著者へのメッセージ、または本書のご感想をお書きください。

今後、弊社のご案内をお送りしてもよろしいですか。

（ はい・いいえ ）

ご記入いただきました個人情報については、許可なく他の目的で使用することはありません。

ご協力ありがとうございました。

郵 便 は が き

お手数ですが、
50円切手を
おはりください。

151-0051

東京都渋谷区千駄ヶ谷 4 -9 -7

(株) 幻 冬 舎

「日本経済の真実」係行

ご住所 〒□□□-□□□□

Tel. (- -)
Fax. (- -)

お名前	ご職業	男
	生年月日　年　月　日	女

eメールアドレス：

購読している新聞	購読している雑誌	お好きな作家

て日本で作ったものです。日本人は、欲しければこのシャツを買うことができます。農家と繊維業者とアパレルメーカーとお店が稼いだ金額の合計が丁度1万円で、これが日本人の手にする所得だからです。1万円稼いでいますから、1万円のシャツが買えます。

ところが、このところ庶民の財布の紐が締まって、1万円では商品が売れません。そこで、ベトナムあたりで安く作らせて、日本に800円で輸入し、1000円で売ることにしました。随分安くはなりましたが、日本人はこのシャツが買えません。なぜかというと、日本人がこの仕事で得た所得はたった200円、つまり1000円の売値と800円の仕入れ値の差額だけです。800円はベトナム人の所得です。

200円の稼ぎで1000円のシャツは買えません。今まで綿を作り、生地を織り、裁断と縫製をしていた人たちが、もっといい仕事を見つけて転職していれば話は別です。でも、企業がどんどん海外に逃げている日本に仕事はありません。失業者が増え、給料が下がります。消費が減ってデフレが起こります。

さあ、政府は言います。「モノが売れないのは家計の需要が乏しいからだ。国債を発行して家計から800円借り、800円の給付金を家計にばらまこう！」。800円の給付金を貰った家庭は、確かに1000円のシャツが買えます。ですが、事態は何も改善されていません。宴《うたげ》のあとに残るのは、政府の800円の借金だけです。政府は、将来800円の増税をしない限り、借金を返せないのです……。

消費や設備投資が一時的に不足して起きた不況やデフレなら、政府の「積極財政（赤字覚悟で公共投資などを拡大する）」が起爆剤になってバラ色のシナリオが実現する可能性はあります。ですが、国の潜在的な成長力そのものに本質的な問題が起きているなら、政府がいくら積極財政を進めてもその場凌《しの》ぎにしかなりません。一時的に家計の需要や政府の需要を増やしても、その効果が一巡すれば元の木阿弥《もくあみ》です。

先行きに成長の見込みがなければ、企業は設備投資を増やしたり人を雇ったりしません。国の借金が無駄に積み上がるだけです。経済の成長は、長期的には物価が需要と供給を調整してその国の潜在的な成長力に一致します。潜在的な成長力そのものを高める、つまり元気な産業や企業を日本国内で育てる以外、不況から脱する道はないのです。

職人さんがジーンズを1本縫うのに1時間かけ、1万円で売っていたとします。優秀なミシンを手に入れて1時間に5本縫えば、1本3000円で売っても1時間当たりの売上げは1万5000円に増加します。職人さんは値下げしても儲かります。

こういう値下げなら、消費者も生産者もハッピーな「良いデフレ」です。物価の下落が悪いとは限りません。昔なら1万円はしたジーンズが、今では980円で買えます。この値下がりの何が問題なのでしょう。

デフレが問題なのではありません。国内で生産効率を上げて値下げしたのでは間に合わず、**中国やベトナムの人に職を与えて日本人を失職させる**構造が進んでいるところに本質的な問題があるのです。この構造を変えずにいくらお金をばらまいても、皆が幸せになるインフレはやってきません。うっかりすれば、実質GDPが減少する中で物価だけが上昇する「スタグフレーション」と呼ばれる最悪の事態にもなりかねません。

デフレ対策と称するばらまきの甘言に安易に乗ってはいけません。一時の風で舞い上がった落ち葉は、風が止めば地上に落ちて朽ち果てます。本当に怖いのは、デフレの背景にある日本経済の現実です。

5 日本の株はなぜ上がらないのか

株主は会社の所有者

ＧＤＰの大部分は、企業が生み出しています。ＧＤＰを生む企業の大部分が株式会社です。株価（会社が発行する株式の値段）はその会社の成長期待を映す鏡です。してみると、多くの会社の株価をまとめて表す「日経平均株価」や「東証株価指数」を見れば、日本のＧＤＰへの成長期待度が分かります。

そもそも株式とは何か？　それは、株式会社がお金を受け取る代わりに発行する証明書、逆にお金を出す側からいえば、お金を払った見返りに受け取る利益分配証明書のようなものです。株式会社が新たに株式を発行してお金を調達することを増資といいます。

一般的に経営者は常に自社の株価を上げたいと考えています。理由のひとつは、株価が高いほど、増資で株式を発行した時、入ってくるお金が増えるからです。株式で調達した資金は資本金になります。株式を買った株主は、株主総会に出て会社の経営に注文をつけることができ、配当金というかたちで会社の利益を分け合う、会社の所有者です。

資本金は会社の所有者のお金ですから、会社は無期限に預かることができます。要するに、会社にとっては永久に返さなくてよいお金です。株主は、お金が要るときは会社に返済を求めるのではなく、証券会社に行って株式を市場（売り手と買い手が集まって売買する場所・仕組み）に売りに出します。株価はそこで決まります。買いたい人が多ければ値上がりしますし、売りたい人が多ければ値下がりします。

株価が示す日本への低い成長期待

２００８年7月、米国の銀行がいろいろなかたちで世界中の金融機関にばらまいた「サブプライム・ローン」と呼ばれる住宅ローンの破綻が明らかになりました。住宅は必ず値上がりするはずだ、という根拠のない信念をあてにして、とても**返済できそうもない人たちの住宅を担保に貸し込んだお金**が、焦げついたのです。

この仕組みが破綻した結果、世界中の金融機関が不良債権の山を築きました。バブルのはじけたあとの日本みたいな状況です。

金融機関が不良債権を抱えると、企業にお金が回らなくなって景気が悪化します。バブルに懲りていた日本の金融機関は幸いにも無事だったのですが、「外需」頼みの日本も影響を避けきれず、**外国の不況の煽りを受けて不況に陥ってしまいました。**

さて、そこからの立ち直り。諸外国と同じく、日本政府も財政赤字を顧みずバンバンお金を注ぎ込んではいるのですが、株価の回復は諸外国に比べ遅れています。そもそも、バブルの一時期を除けば、**日本の株価の上昇は長期的に見て諸外国に大きく遅れているのです。**株価が上がらなければ気分も盛り上がりません。日本の株価はなぜ上がらないのでしょうか？　その謎を解く

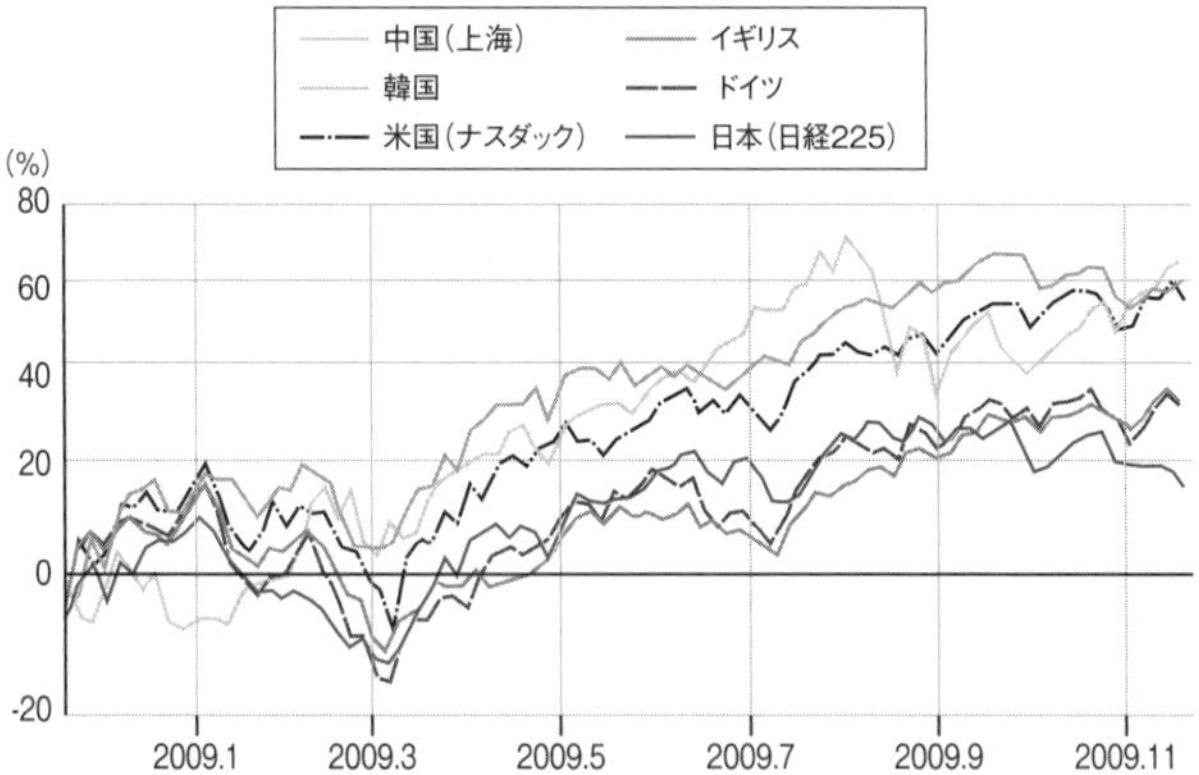

●日経平均株価と各国株価指数の比較チャート

http://chartpark.com/world-hikaku.htmlから転載

ためには、そもそも、株価とは何なのかを知る必要があります。

法人税が株価を下げる

皆さんは株を買うときに何を期待しますか。値上がりすること、配当を受け取ること、無料パスや優待券を貰うこと。え、なんですって？　環境に優しい企業に投資して、社会貢献したいですって。ほう、見上げた心がけです。じゃあ、その会社がつぶれて、投資がパーになってもいいんですか。嫌ですよね。つまるところ、**株を買う理由はただひとつ、儲けるため**です。

資本金は返さなくてよいお金ですから、多ければ多いほど会社の経営は安泰です。ということは、企業が必要とする資金は、すべて増資で賄えば、銀行から借りるよりもずっと賢い！　と、ならないんですねこれが。ちょびっと難しい話をしますから、ここ、気合いを入れて読んでください。実は、新たに株を発行して増資で調達したお金は、銀行からお金を借りたり、あるいは社債を出したりして得たお金より、**企業にとっては法人税の分だけ高くつく**のです。どういうことか、説明しましょう。

例えば社債というのは、企業の借入れ証書です。この社債を発行して１００万円借りて商品を買い、１１０万円で売ったとしましょう。利息を３万円払えば、儲けは７万円です。税金（法人税等）を４割取られると、会社の手元には４万２０００円が残ります。会社は新たな投資に回せるお金を、４万２０００円だけ手にしたわけです。これで機械を買ったり積極的な在庫を積み上げたりすると、会社が成長します。

一方、株式を投資家に買ってもらって、増資で１００万円調達して同じことをした場合を考えてみましょう。株式に利息は払いませんから、儲けは10万円です。税金（法人税等）を４割払うと、手元に残るのは６万円です。株主は会社の所有者ですから、会社が**税金を払ったあとの利益から配当**を受け取ります。利息と同じ３万円をそこから払うと、手元に残るのは３万円です。新たな投資に回せる資金は、３万円しか残りません。

もし手元に４万２０００円残そうとすると、商品を１１２万円で売らなければなりません。12万円儲けて４万８０００円（利益の４割）を税金として払い、残った７万２０００円から３万円配当して手元に４万２０００円残るという勘定です。つまり、増資で資金を調達すると、借入れで調達したときより高く売らない限り利息と同じ配当は支払えないのです。

こういうことが起こるのは、会社が法人税を支払わなければならないからです。世界の潮流は、**法人税を引き下げて企業の投資資金を増やし、成長した企業が生み出すGDPの配分を受けた家計から税金を取る方向に動いています。**その方が、家計も政府も企業も潤うからです。法人税が高ければ高いほど、株式でお金を調達するコストが高くなる、GDPを生み出す企業の成長資金が少なくなって国際競争力が落ちる、ということをよく理解しておいてください。

✸最大の儲けを目指して人は行動する

もっと根源的に、株価はどう決まるか見てみましょう。

会社が1株1000万円で10株の株式を発行したとします。資本金は1億円です。この会社の株価はどのように決まるのでしょう。もし、会社が何もせずにこの1000万円を金庫に眠らせておくなら、株価はいつまでも1株1000万円です。金庫からお金を引き出して配れば、1株1000万円になるからです。金庫のお金を減らさず、しかも毎年100万円の利益を上げると信じることができたらどうでしょう。

理論的には、年間1株あたり10万円の配当が受け取れます。配当を受け取らなければ、金庫のお金が1年後に1100万円、2年後は1200万円、3年後は1300万円と増えていきます。手持ちの株式1株は、3年後には1300万円の現金と交換できます。どちらにしても年10％の儲けが期待できます。今時、**銀行に預金して1％の利息を貰うのは大変**です。あなたはきっとこの株を買いたいと考えるでしょう。

さて、いくらまでなら買いますか？　1株100万円で買えたら年間10％の利回りです。あなたが、「1％程度稼げれば十分」と思うなら、株価が1000万円以下なら「買い」です。10万円÷1000万円＝1％。1000万円で買って10万円の配当があれば、1％の利益を生む投資になります。あなたが、「リスクもあるし、2％程度の利回りは欲しい」と考えるなら、500万円までは払えます。10万円÷500万円＝2％だからです。

買いたい人が沢山いれば、100万円の株式が500万円なり1000万円なりに値上がりすることになります。これが、「理論的な株価」です。「会社が将来稼ぐと期待される利益が高ければ高いほど、そして世の中の金利が低ければ低いほど、株価は高く」なります。なぜなら、世の中の金利が低ければ、株の値段が高く利回りが低い状況でも、「株の方がまし」と考える人が増えるからです。

蛇足ですが、短期的にはこの理屈どおり「金利が上がれば株価が下がる」という保証はありません。大量の投機資金を持つ投資ファンドが国債を売ってそのお金をそのまま株買いに回すような局面では、「国債価格と株価は逆相関（国債が値下がりして金利が上昇する局面で、株が値上がりする）」という理論価格の形成とは逆の現象が起きます。

短期的な**相場は水もの**です。いずれにせよ現在の経済情勢の下で、「金利10％保証！」なんて「うまい儲け話」には乗らないでください。

産業構造の変革で株価を上げる

ここで問題です。あなたがある会社に100万円お金を出して儲けようと考えた時、社債を買ってお金を貸しますか？　それとも、株を買いますか？　利息でも配当でも同じ年間3万円しか貰えず、値上がりも期待できないとしたら、貸す方を選ぶはずです。

会社がつぶれれば、どっちも損するのは同じですが、つぶれない限り、単純に金を貸した方が、確実に利益が見込めるからです。会社がつぶれたあとに多少でも資産が残れば、貸した人が株主に優先してそれを分けてもらえるというメリットもあります。値下がりリスクがあって、元本が減る可能性のある株などアホらしくて買えません。皆がそう考えれば、株を買う人が減り、株価は下がります。要するに株価を上げるには、会社が保証する利息以上に**大きな利益が上がるとの期待**が必要なのです。

日本企業の株価の値上がり率は、長い間外国企業に負け続けています。日本企業の収益力が、将来にわたって外国企業に劣ると見られている証拠です。それはとりもなおさず日本の成長力が諸外国に劣ると見られている証拠でもあるのです。外国に比べて**極端に高い法人税が会社の利益を引き下げている**ことがその要因のひとつです。また、大量の国債発行で日本の金利が上昇すると予測する人が多いことも原因です。

金利が上がるというのは、先ほど話したメカニズムにより、株価の下落要因です。株価を上げるには、日本企業の競争力を高め、日本の財政を安定させ、産業構造を活力あるものに変革していかなければなりません。

それにしても、どうして日本はこんなにも多くの深刻な課題を抱える国になってしまったのでしょうか？　解決の糸口はどこにあるのでしょうか？　それを知るには、過去を知らなくてはいけません。さあ、歴史の扉を開けましょう。

第2章

歴史から学ぶ
～なぜ日本はこんな国になったのか～

1 昔、日本はとても元気だった

東洋の奇跡——高度経済成長

かつて、日本に、高度経済成長と呼ばれた時代がありました。バブル崩壊後に物心ついた若い人には想像もできないでしょうが、それこそ、「今よりましな生活がしたい」「豊かになりたい」「金持ちになりたい」という良くいえば**向上心**、**悪くいえば欲望**につき動かされて、**国民一丸となって右肩上がりの成長を謳歌**していた時代があったのです。

経済学の教科書的には、その期間は1955年に始まり1973年に幕を閉じる18年間と定義されています。次ページの表を見てください。当時の日本の経済成長率です。昨今のほとんど虫眼鏡で見なくてはいけないような小さい数字に比べて、なんと力強い数字が並んでいるんでしょう。日本中が活況に沸き、東洋の奇跡と呼ばれたこの期間は、1947年から1949年の3年間に生まれた806万人の団塊の世代が、小学校に入学し大学を卒業するまでの年齢にぴたりと重なります。

完成間近の東京タワーを背景に、「三丁目の夕日」の世界が日常であったこの時代、誰もが**明日は今日よりきっと豊かで幸せになれる**と信じることができました。

しかし今、隣の中国が、その時代の日本を超える息の長い高度成長を続ける一方、日本は低成長のトンネルから抜け出せずにあえいでいます。何が変わってしまったのでしょう。

年度	名目成長率	実質成長率	年度	名目成長率	実質成長率
1947	176.1	8.4	1964	15.9	10.6
1948	103.7	13.0	1965	10.6	5.7
1949	26.6	2.2	1966	17.9	11.6
1950	16.9	11.0	1967	18.1	13.1
1951	37.9	13.0	1968	18.9	13.8
1952	16.3	11.7	1969	18.2	12.3
1953	18.1	7.7	1970	17.1	10.2
1954	4.0	2.8	1971	10.1	5.6
1955	13.3	10.8	1972	16.5	10.4
1956	12.3	6.2	1973	21	6.5
1957	13.0	7.8	1974	18.7	-0.0
1958	4.8	6.0	1975	10.0	3.2
1959	15.5	11.2	1976	12.2	5.9
1960	19.1	12.5	1977	11.0	5.8
1961	22.5	13.5	1978	9.7	5.7
1962	9.1	6.4	1979	7.5	6.1
1963	18.2	12.5	1980	7.7	5.0

●戦後の成長率推移

日本経済新聞社編、経済記事の見方（1976年版、82年版）

戦後復興の夜明け

戦後の日本の再出発は辺り一面に広がる焼け野原に流れた「堪え難きを堪え、忍び難きを忍び」という玉音放送から始まりました。1945年8月15日正午のことです。詔勅は「確ク神州ノ不滅ヲ信シ　任重クシテ道遠キヲ念ヒ　総力ヲ将来ノ建設ニ傾ケ　道義ヲ篤クシ　志操ヲ鞏《カタ》クシ　誓テ国体ノ精華ヲ発揚シ　世界ノ進運ニ後レサラムコトヲ期スヘシ」つまり「国の不滅を信じ、総力を将来の建設に傾け、道義を篤くし、国の真価を発揚して世界の進歩に遅れないようにしなければならない（筆者抄訳）」と語りかけました。

戦争中の日本政府の**借入金総額は、国家財政の約9倍**にのぼっていました。経済を統制して消費を抑え、**郵便局が集めた国民の貯蓄を戦時国債に回して資金を吸収**することで膨大な借金に伴うインフレの発生を抑えたのです。インフレの発生原理は単純です。物が少ないのに買いたい人が多いと、売り手は少しでも高く買ってくれる人に売りたいと思うし、**買い手は高くても買わざるを得ない**ので、どんどん値段が上がっていきます。これが「需要と供給のバランスで物の値段が決まる」ということです。

戦時中は、国民から郵便貯金というかたちで資金を吸い上げて、国民の購買力を下げ、さらに「欲しがりません、勝つまでは」と、思想的にも国民の物欲を抑えるキャンペーンを実施したので、モノが足りなくても酷いインフレにならなかったのですね。

戦後の混乱の中で、この仕組みが崩れると、悪性のインフレが当然のごとく暴れ出します。農業、工業ともに壊滅状態になった国土に、多くの復員兵が戻ってきて、たちまち国中のすべてのモノが不足し始めます。モノを欲しい人が沢山いるのに、そのモノがほとんどない。まさに**需要と供給のバランスが崩れた状況**です。今の北朝鮮経済と同じです。

モノの値段は急上昇し始めます。1945年から1949年までの間に消費者物価はなんと100倍ほども上昇しました。「物の値段は下がって当然」と思っている、今の10代、20代の人には、想像もつかないような事態でしょう。何せ、今は、**1万円のジーンズが、980円になる時代**ですが、この時代は、たとえてみれば1本1万円のズボンが、数年で1本100万円になったのです。当然、こつこつ貯めた郵便貯金は価値が吹っ飛び、国が発行する借用証書、すなわち国債は、紙くず同然となってしまいました。

なんとかこの事態に対処しようと、国は緊縮財政、つまり自らが使うお金を絞ってインフレを抑え込もうとしましたが、その結果、世の中にお金が回らなくなって、企業の倒産が増加し、失業者があふれる深刻な不況が到来しました。

✸天の恵み——朝鮮特需

戦後の大混乱と深刻なインフレ、さらに不況というどん底にあえいでいた日本経済に、天の恵みが訪れます。朝鮮戦争勃発です。北朝鮮が、**韓国を支配下に置こうと一気に北緯38度の境界線を越えて南になだれ込んできた**のです。

北朝鮮軍は、機関銃座に鎖で兵士をつないで、絶対に自軍の兵士が敵前逃亡できないという徹底した軍紀で快進撃を続け、韓国軍と米軍はあと少しで日本海に全軍叩き落とされる瀬戸際まで負け続けます。しかし、そこから一気に反撃開始となりました。

両軍市民合わせて500万人に迫る尊い命が失われたこの戦争を、日本経済にとっての「天の恵み」と表現するのは、倫理的にいかがなものかとは思いますが、それくらいプラスの効果があったのもまた事実です。戦争は命にもモノにももったいない行為ですが、モノが急速に失われることは、それを供給する者にとって空前のチャンスになるのです。戦後の日本経済は、**1950年6月に始まったこの朝鮮戦争特需をきっかけ**に立ち直り始めます。

朝鮮半島で消えてなくなるモノや、米軍に供給する物資の生産のために日本の工場はフル回転を始めます。今でいう外需主導というやつですが、これによって工場で働く労働者の賃金もしっかりと支払われ、それらの労働者が、自分の欲しいモノを国内で買う内需につながってゆきました。こうして、日本中にお金が回り始めたのです。

世界第二位の経済大国へ

戦前の教育で、勤勉であることの価値を徹底的に叩き込まれていた日本国民は、燃え盛る復興の意欲に導かれるまま、日本中に建設の槌音を響かせました。

１９５６年には、経済白書が「最早戦後ではない」と高らかにうたい上げ、日本は80番目の国際連合加盟国として国際社会への復帰を果たします。日本中が**焼け野原となっていた１９４５年から数えて、この間わずかに11年**です。バブル崩壊から続く日本経済の低迷は実に20年、いかに近年の日本政府が無策だったかが分かります。

さらに、１９６０年には池田内閣が「国民所得倍増計画」を打ち上げます。洗濯機、冷蔵庫、テレビというあこがれの「三種の神器」が家庭に普及し、１９６４年の東京オリンピックを控えて**首都高速道路、東海道新幹線が相次いで開通**、オリンピック後に訪れた不況も克服して、1968年にはついに**米国に次ぐ世界第二位の経済大国**へと成長しました。

大阪千里丘陵の竹林をブルドーザーで均《なら》して、突如出現した未来都市は、まさに世界第二の経済大国に与えられた勲章のようでありました。そうです。大阪万博です。1970年開催の**万国博覧会は延べ6400万人、1日平均35万人の入場者数**を記録して国中が沸き、寝食を忘れて仕事に打ち込む「モーレツ社員」が物質的な豊かさと繁栄を求めて「日本株式会社」を世界に売り込んでいきました。テレビでは、猛スピードで疾走する自動車が巻き起こす風にスカートを捲り上げられた小川ローザが「Ｏｈ！　モーレツ」と叫ぶコマーシャルが流れていました。

ひとクラス50人を超える「すし詰め教室」で学ぶ若い世代が、「高い学歴を得て良い会社に就職を」とばかりに激しい「受験戦争」を繰り広げ、「日本の学生の基礎学力は世界一」というのが国民共有の常識になりました。良くも悪くも自信と向上心にあふれて「Ｏｈ！　モーレツ」、それが日本の高度成長時代だったのです。

しかしこの間、経済が一本調子に成長していたわけではありません。小さな景気の谷は何度か訪れましたし、1964年のオリンピック直後に始まる不況は山陽特殊製鋼が倒産して山一證券の経営が行き詰まるなど、それなりに深刻なものでした。ただ、それとても政府が赤字国債を発行し、国内需要を喚起することで再び成長の軌道に復帰させることができたのです。1973年、オイルショックによる原油高騰でさしもの高度成長が終わりを告げるまで、日本経済と日本国民には明日を信じて前進する勢いがありました。

貯蓄・投資・生産の好循環

高度成長期の日本には、経済成長を牽引する労働力、生産設備、技術の3つの要素がすべて急速に成長する好条件が揃っていました。団塊の世代を下において**人口構成はピラミッド形**を保ち、成長した青少年が毎年新たな労働力として社会に出てきます。

相対的に生産性が低くなった農村から次男坊、三男坊、果ては長男やお父ちゃんまでが生産性の高まった都会に出て働き始めます。おじいちゃん、おばあちゃん、おかあちゃんが田んぼや畑を守る三ちゃん農業の始まりです。当時は**経済の50%を超えていた農村の比率が5%以下にまで下がる**過程で、大きな**労働力が製造業やサービス業に供給**されました。

設備にしてもそうでした。戦後の混乱から立ち直った人々が明日への希望に燃えて働き、贅沢《ぜいたく》を言わずに貯蓄に励みます。貯蓄は投資に回ります。GDPの多くを新たな設備に費やし、増えた生産物がまた投資に回されます。設備能力はどんどん高まります。

技術もまた然《しか》り。ゼロ戦を生み**戦艦大和を造った優秀な技術者**が、なべ・釜・ミシンを作るところからスタートして先進諸国の技術を輸入するわけですから、技術力は急速に高まります。当時の潜在的な成長力は、非常に高いものでした。

高度成長時代が終わる1973年まで、消費者物価は毎年4％から6％上がり続けていました。かなりのインフレ率です。一方、卸売物価の上昇率は極めて安定しています。設備や技術の向上で、**モノがどんどん安く作れるようになった**からです。

商品がどんどん値上がりし、生産コストは上がらないのですから企業は儲かります。社員一人当たりの生産性が向上した結果ですから、社員も給料の増加で分け前を受け取ります。国民の購買力が高まり、**作ったものは飛ぶように売れ、ますます経済が成長する**という好循環が実現します。これが高度成長の本質です。

	消費者物価	卸売物価
1961	6.2	1.4
1962	6.7	△ 1.9
1963	6.6	1.9
1964	4.6	0.0
1965	6.4	1.3
1966	4.7	3.0
1967	4.2	1.8
1968	4.9	0.8
1969	6.4	3.0
1970	7.3	2.2
1971	5.7	△ 0.7
1972	5.2	4.0
1973	16.1	21.7
1974	21.8	20.1

●物価指数の前年比推移

内閣府ホームページ

2 高度成長後の日本で何が起きたのか

日本の不都合な真実

今、日本の現実はどうでしょうか？　労働力、生産設備、技術のすべての成長エンジンが低速に切り替わりました。団塊の世代が定年を迎え、人口構成は逆ピラミッド形です。農村はすでに小さくなり、新しい労働力の供給源として期待できません。

世界に追いつき追い越すべく努力してきた技術力も、すでに世界のトップクラスに肩を並べるようになりました。基礎技術を輸入して応用で稼ぐ、**先進的な技術を見習って改善する**、といったかたちで成長を果たす余地は狭まっています。自らブレークスルー（打開）しない限り、急速な発展は望めません。

人口の老齢化や経済成長率の低下に伴って貯蓄率が下がれば、成長への投資に回せる資金が減少します。成長の鈍化で需要が減れば、設備投資意欲も低下します。これが高度成長を終焉《しゅうえん》に導いた、日本の不都合な真実です。

経済が右肩上がりで成長していれば、社会保障費が不足しても、財政が赤字になっても、多少の問題はすべて時間が解決します。待っていさえすればやがて**GDPが大きくなって税収が増え、国民の所得も増える**からです。ところが、経済が横ばいになる、あるいは縮小するという局面では、待っていたのでは何も解決しません。解決に向けた意思と行動が必要です。

ただこの現実自体を、必ずしも悲観的に捉える必要はありません。日本が、世界のトップクラスの先進国に追いついた証拠でもあるからです。アジアは急成長しています。発展途上であるがゆえに、かつて日本が備えていた成長の要素を持って先進国を追っているのです。日本は違います。先頭に立つ先進国になった以上、見習うべきお手本はありません。自ら現状を把握し、いかに独自の道を切り開いていくかが問われます。高度成長時代の終焉から既に37年、今の日本が直面する課題を整理するところから始めましょう。

貿易で積み上げた外貨準備

日本の外貨準備高は約1兆5１０億ドル、95兆円にのぼります。外貨準備高は、簡単にいってしまえば**政府が外国に預けた外貨預金**みたいなものです。世界の外貨準備高のおよそ16％を占め、**2006年2月に中国に抜かれる**まで長く世界一を誇ってきました。日本がこれまで外国との取引で、営々と黒字を積み上げた結果です。

あまりに外貨（主に米国債）を持ちすぎると売るに売れず、**米ドルが安くなったときは大損する**リスクもあります。個人の貯金と違って多けりゃいいというものではないのですが、日本の力のひとつであることは確かです。

外貨準備高が増えるのは、国際収支が黒字だからです。国際収支は外国との取引の結果やり取りされる収入と支出の差額で、「経常収支」と「資本収支」に分かれます。難しいことではありません。家計簿と同じです。

経常収支は、家計でいえば、給料を貰って衣料や食料を買い、旅行や映画に行くといった日常生活にかかわる収入と支出の差額です。資本収支は、給料が余ったから貯金をし、足りないからローンを借りる、というお金の貸し借りの差額です。

日本は、経常収支の黒字を長い間続けています。経常収支は、「貿易収支」「サービス収支」「所得収支」に分かれます。貿易収支は輸出と輸入の差額、サービス収支は輸送や旅行、特許料などサービスのやり取りの差額です。所得収支は、日本人が外国に投資して儲けた分から、外国人が日本に投資して儲けた分を差し引いたものです。

池田内閣が「国民所得倍増計画」を打ち上げた高度成長まっただ中の1960年、日本の経常収支は12兆円の黒字で、貿易収支の黒字13兆円がその主な内容でした。それ以来、石油危機で輸入原料が高騰した1973年と1979年を除けば、**黒字の大半はずっと貿易収支**が担ってきました。日本が持つ多額の外貨準備は、貿易黒字のおかげです。

加工貿易の国、ジャパン

辛坊兄弟が子どものころ、日本は「加工貿易」の国であると学校で教えられました。資源の乏しい日本は**他の国から安い原材料を輸入し、これを加工して付加価値をつけて外国に輸出する**よりほかに生きてゆく道がないということです。

戦後、それこそ「下駄に唐傘、みそ、しょうゆ」、売れるものは何でも売ろうとの精神で日本の製造業が海外進出を始めました。1960年ころの日本の輸出品目は、繊維製品が約3割を占めています。安かろう、悪かろうといわれた商品も、世界に冠たる自動車を先頭に最先端の技術を活かした発光ダイオードやリチウムイオン電池まで、**メイド・イ**

ン・ジャパンの高品質への信頼が輸出を支えるところまで成長しました。下のグラフは、日本の商品別輸出高の推移です。

材料を輸入して製品を輸出するのが加工貿易ですから、貿易収支の黒字が日本の生み出す付加価値、つまり日本人が額に汗して働いた成果です。頑張って勉強して技術を磨き、勤勉に働いて良い製品を作る、そうすれば明日は今日より豊かになれる、そういう高度成長時代の国民の共通の思いが貿易黒字には凝集されています。

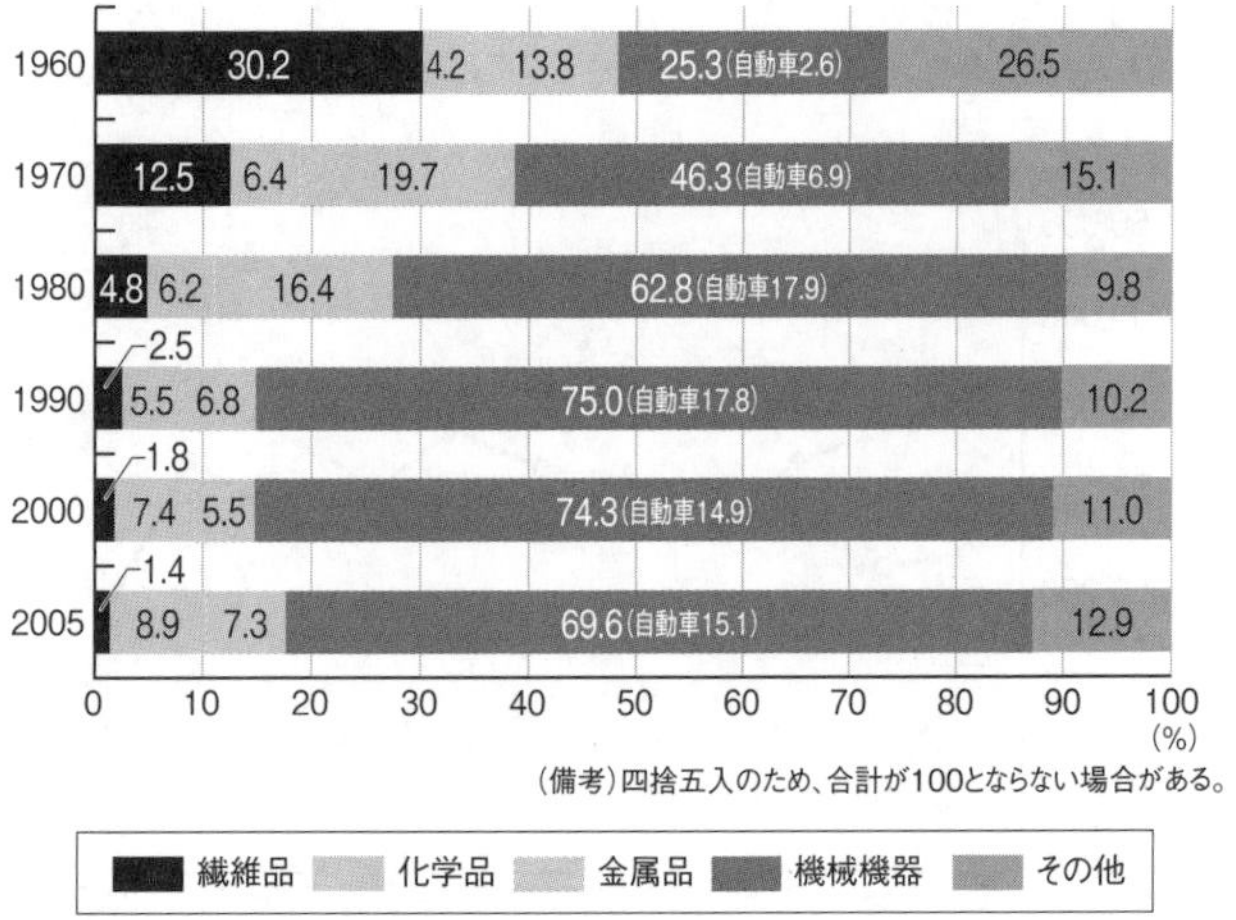

(備考)四捨五入のため、合計が100とならない場合がある。

●日本の商品別輸出構造の推移

http://118.155.220.112/policy/trade_policy/tradeq_a/html/dai2.html
経済産業省トップページ>基礎情報>我が国の貿易に関するQ&A

貿易が危ない

その流れが変化しています。下の折れ線グラフは、１９９８年から２００８年までの日本の貿易収支と所得収支の動きです。貿易収支の黒字が減少して所得収支が増え、２００５年にはついに両者が逆転しました。日本はいつの間にか、貿易で稼ぐ国から海外投資で儲ける国に変わってしまったのです。

同じ図の棒グラフを見てください。資本収支の中の投資収支の動きです。投資収支は、海外での会社の経営や資金運用を目的として日本人が外国に投資した資金から、外国人が日本に投資した資金を差し引いた差額です。このところ、いかに大きなお金が外国に流出

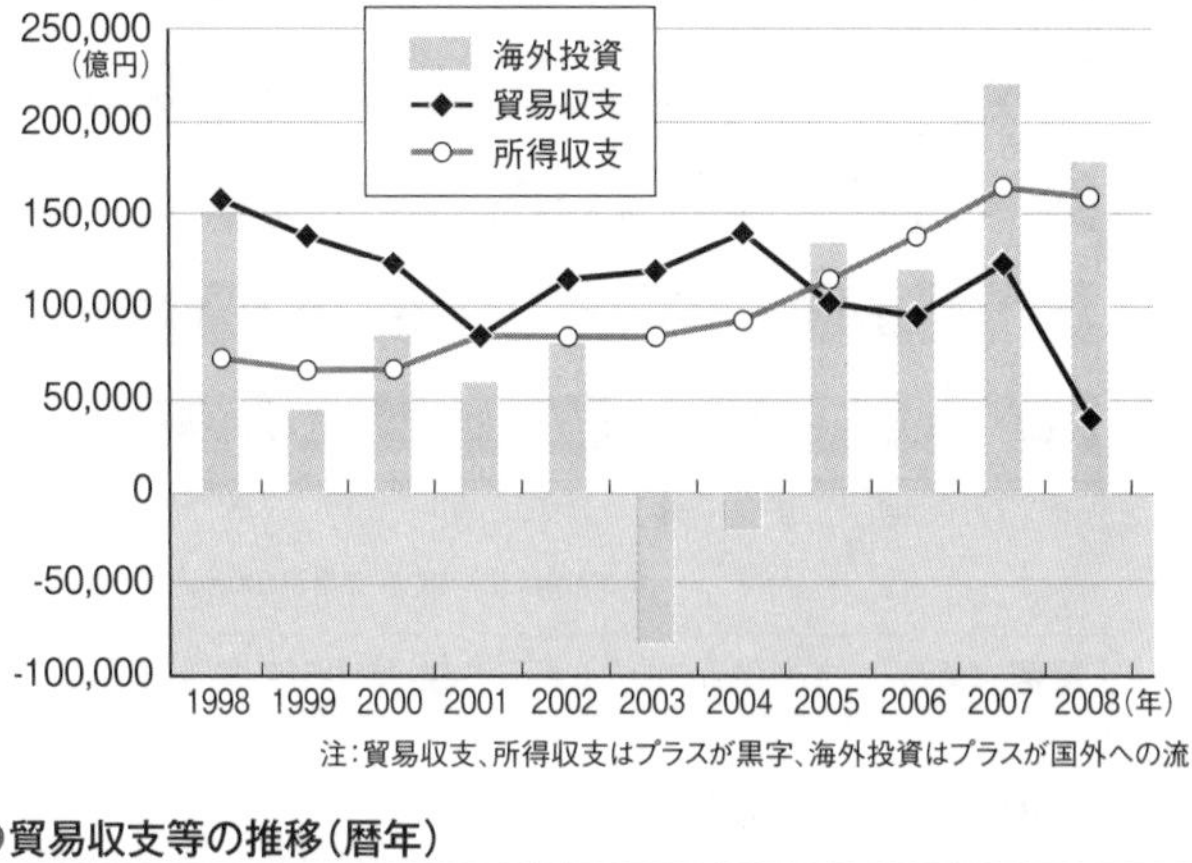

注：貿易収支、所得収支はプラスが黒字、海外投資はプラスが国外への流出。

●貿易収支等の推移（暦年）

財務省　国際収支統計から作成

しているかが分かります。

日本人が海外に投資して稼ぐとき、その工場や金融機関で働くのは主に外国人です。日本企業が外国に作った工場には、日本人が持ち込んだ設備も技術もあります。かつて日本が世界に誇った**勤勉さや基礎学力が、ゆとり教育や価値観の変化で勢いを失う**のを尻目に、中国でも韓国でも、そしてその他アジアの諸国でも目を輝かせた若者が育っています。設備と技術があれば、日本人以上の成果をあげます。

額に汗せず、蓄えた資本と情報で儲けるのが先進国だと考えれば幸せなことかもしれませんが、これでいいのでしょうか。強い企業は、海外に出て稼げます。海外に投資して稼げるお金持ちも大丈夫です。ですが「加工（働く機会）」が日本から消えてしまったその時、**世界を股にかけて働くことのできない大多数の日本人**は海外の工場で働く輝く目をした若人を、指をくわえて見ているしかありません。

海外投資（投資収支）は、日本が失われた10年を抜け出して**構造改革への息吹が感じられた2003年、2004年に一時的に受け入れ超に転じました**が、改革の熱気が衰えるとともに一転して支払い超に戻りました。資金が再び海外に流出し始めたということです。日本が魅力を失い、**資金と企業が海外に逃げ出している**とすれば一大事です。

✸すべての需要が消えた

日本の経済が冴えません。急成長を続ける中国はもちろん、行きすぎた市場経済の震源地としてこのところいささか色あせたアメリカにも、GDPの成長率で大きく水をあけられています。下のグラフを見ると、日本だけが、過去20年ほど全く経済成長していないのが一目瞭然です。

現在**日本のデフレギャップは、30～40兆円**といわれています。日本が持っている生産力に比べ、需要がそれだけ不足しているということです。これではいくらモノやサービスを作っても売れません。

財政政策を担当する政府では、2009年

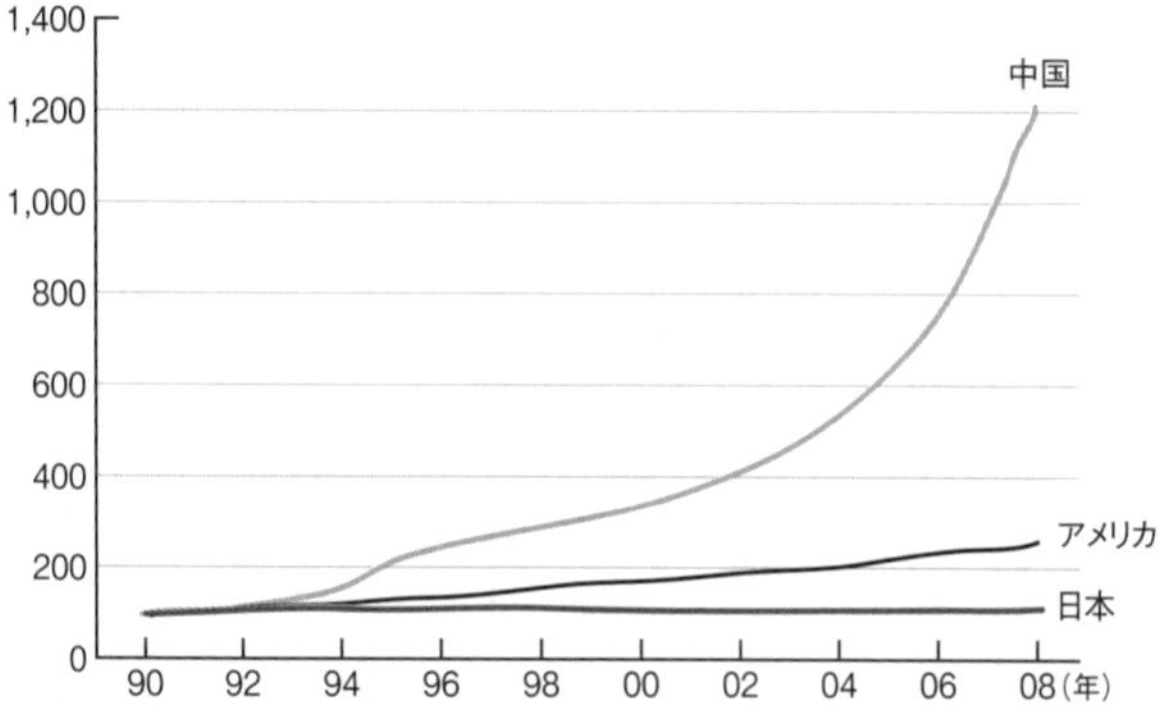

●日米中のGDPの推移（1990年＝100とする指数）

内閣府、世界銀行、米国商務省
東洋経済2009.11.14から転載

11月の月例経済報告で当時の菅直人経済財政政策担当相が「金融の果たすべき役割は多い」と発言し、藤井裕久財務相は「財政に経済を治す力はない」と発言したと報じられています。日本銀行に金融政策を促す、とのニュアンスです。

一方、金融政策を担当する白川方明《まさあき》日本銀行総裁は自らの講演で「より重要な課題は（日本経済の）実力を引き上げること」と述べて政府の成長戦略の重要性を指摘、日本銀行に過度な要求が高まるのを警戒していると伝えられています。その後、**政府と日本銀行は一致協力してデフレ対策に当たる**ことを強調していますが、財政政策と金融政策それぞれの責任者が相手側に対応の責任を押しつけ

年度	GDP	民間最終消費支出	民間企業設備	政府最終消費支出	政府インフラ投資等	輸出
2000	0.9	-0.4	4.9	3.7	-8.3	6.7
2001	-2.1	0.1	-5.0	2.2	-6.5	-6.0
2002	-0.8	-0.1	-5.4	0.0	-6.7	8.4
2003	0.8	-0.2	3.5	1.1	-9.4	6.5
2004	1.0	**0.6**	**6.1**	1.3	-11.6	**11.0**
2005	0.9	**1.1**	**6.1**	0.9	-4.2	**11.7**
2006	1.5	**0.9**	**6.0**	0.4	-7.7	**12.0**
2007	1.0	0.7	2.7	2.4	-4.1	9.9
2008	-3.5	-0.4	-8.5	1.3	-1.3	-15.1

（単位:%）

●名目成長率推移

内閣府資料から作成

たかたちです。

需要が家計（個人）、企業、政府、純輸出（外需）から成り立っていることは繰り返し述べました。政府は消費を拡大しようと赤字を増やしてそれなりに頑張っていますが、前ページの表で分かるように、**家計、企業、輸出という肝心の民間部門**のすべてが元気を失っています。

ただ、前頁の表をじっくり見ると、少しだけ希望が見えた時期があるのも分かります。ほとんどの数字はゼロ、あるいはマイナスで覆い尽くされていますが、2004年から2006年にかけて、民間の設備投資と輸出が、それぞれプラス6％強と2桁超という好調な数字を示し、最終消費支出も改善している点です。

この時期が意味するものは何か？　実は、次に示すグラフでも、この時期が、過去20年の間にあって特殊な時期であったことが分かります。話を先に進めましょう。

✸家計の所得が減っている

次ページのグラフは、企業が払う給料の前年比伸び率の推移で、144ページの表が、一人当たり国民所得の現在の世界順位です。名目雇用者報酬、つまり企業が支払う給料を示す折れ線グラフは全体的にマイナス基調（グラフが『ゼロ』の線の下側にある）で推移しています。かつて世界のトップクラスを誇った**日本人の一人当たり所得は年々減少を続け、ついに世界で20番目前後**に落ち込みました。生産拠点の海外移転が進むと企業業績が改善してもＧＤＰは増えず家計も潤いませんし、厳しい国際競争に晒された企業が業績を回復する過程で家計が犠牲になった感も否めません。

なお、傾向的にマイナス基調にある雇用者報酬ですが、２００５年と２００６年はわずかにプラスに転じていることをここで

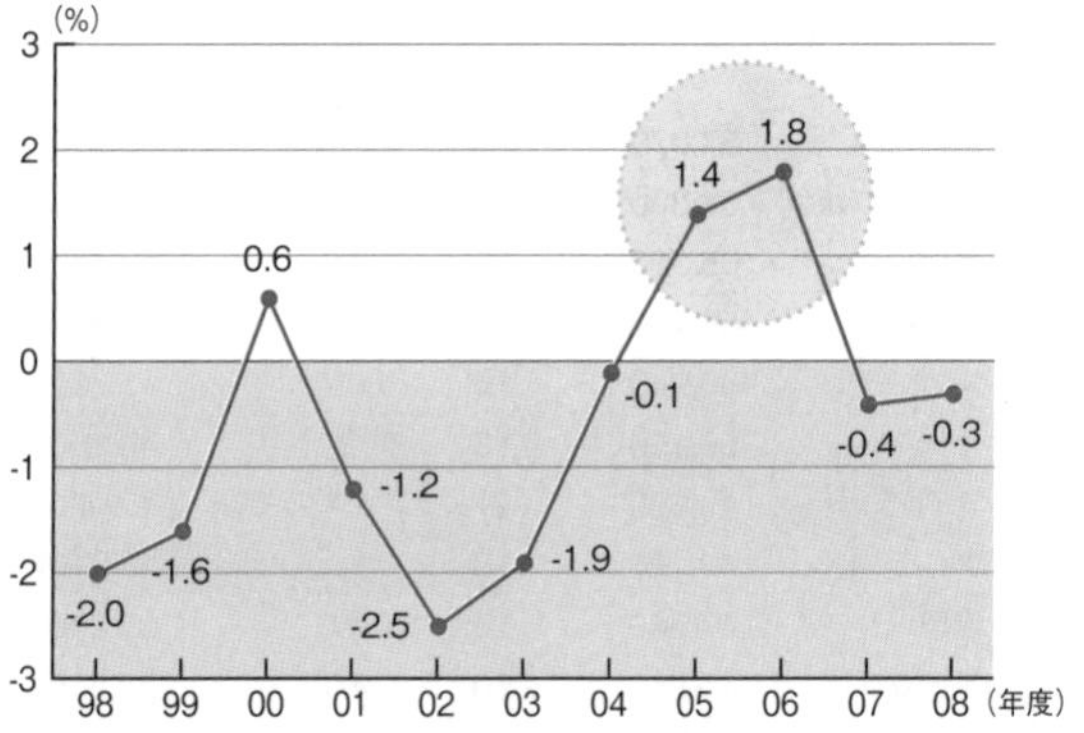

●名目雇用者報酬（確報値）の推移

内閣府、平成20年度国民経済計算確報より転載

記憶にとどめておいてください。

家計の所得が減り続ければ、個人消費が低迷します。かといって、自ら富を生み出す手段を持たない政府が国民に借金をして家計にばらまいても、国民を永続的に豊かにすることはできません。

お金をばらまいた直後は一時的に消費が増えますが、家計がそれを使い終わればおしまいです。効果は長続きしません。**お金を使わず、貯め込む家庭**も多いはずです。貰ったお金をどうでしょう。もしあなたが、仕事を持たない友達から「私にお金を貸してちょうだい、貸してくれたら君にあげる」と言われたらどうします？　この友達こそ、現在の日本政府の姿なのです。

この考えをもっと深めてゆくと、さらに現在の日本の姿が分かります。たとえば友達があなたか

1	ノルウェー	87,070	11	英国	45,390
2	ルクセンブルグ	84,890	12	ベルギー	44,330
3	スイス	65,330	13	ドイツ	42,440
4	デンマーク	59,130	14	フランス	42,250
5	スウェーデン	50,940	15	カナダ	41,730
6	オランダ	50,150	16	豪州	40,350
7	アイルランド	49,590	17	アイスランド	40,070
8	フィンランド	48,120	18	日本	38,210
9	米国	47,580	19	イタリア	35,240
10	オーストリア	46,260	20	シンガポール	34,760

（単位：ドル）

●一人当たり名目GNI順位

一人当たり国民総所得順位〔2008年〕（外務省経済局経済課、「主要経済指標」から転載）

ら100万円借金をして、あなたに90万円くれたとします。あなたは、友達に「100万円返せ」という権利を持ったうえに、90万円は手元に戻ってきます。ここで、友達はもう一度あなたに「100万円貸してくれたら、90万円あげる」と言います。あなたが、もう一度貸すと、あなたは友達に「200万円返せ」という権利を持ったうえに、手元には90万円が戻ってきます。なんだか得をしたような気持で、どんどんと同じ貸し借りを続けてゆけばどうなりますか？

友達が、どこかよそから金を調達できて、あなたに借金を返せるのなら、こんなに得な取引はありません。しかし、友達は、一切仕事をせず、あなたからの借金だけで遊んで暮らしているとします。あなたが、友達に金を貸し続けられれば、この取引は永遠に破綻しません。しかし、1回友達に金を貸すたびに、手元の10万円が減ってゆくので、あなたにも限界が来ます。もし、貸金が1000万円になった時に、あなたが「もうこれ以上は金を貸せない。今まで貸した分を返して欲しい」と言ったらどうなります。その瞬間に、この取引全体が崩壊して、結局あなたの手元には、紙くずの借用証書だけが残ります。

日本政府が**国民に発行している借用証書「国債」**が、この紙くずに重なりませんか？

日本の国債は日本国内にしか買い手がいない、ということを肯定的に捉えることの馬鹿らしさが、このたとえ話でも分かるでしょう？

もうひとつ、このたとえ話が示唆することの本質に気づきましたか？　あなたが友達に1000万円貸したのは事実です、しかしあなたの手元に元から1000万円あったわけではありません。毎回90万円返してもらってそれに10万円だけ上乗せしているのですから、最初の100万円と2回目から10回目までの10万円×9、すなわち合計190万円しか持っていなかったのに、かたちの上では友達に1000万円の債権を持つことができたのです。

実は、日本政府が国債として吸い上げた国民の貯蓄の一部は、国民に払い戻されて、それがさらに貯蓄に回っているものもあります。この構図から分かるのは、**見かけ上の国民の貯蓄額と、国の借金の残高だけから単純に破綻の時期は推定できないということです。**時期は推定できませんが、構図には間違いありません。このままの状況が続けば、必ず破綻の時はやってきます。

✴消費の質が落ちている

高齢化が進んで社会が成熟すると、豊かさを満たすための消費は減ります。少子化で人口が減り始めればなおさらです。これに年金や医療などの問題が生む将来の不安、長引く不況から来るデフレ心理が加われば、家計の財布の紐はどうしても締まります。

高度成長時代からバブルのころにかけて、日本人には欲しいモノが沢山ありました。モノ不足の中で満たされない欲求が物質的な豊かさを求めて旺盛な家計の需要を生んでいたのです。ところが、生活が豊かになるにつれて、**物質的な豊かさを求める態度にネガティブなイメージ**が結びついてきました。バブルや高度成長は必然的に「産業優先」であり「物質優先」で、そのため**国民の福祉や精神的な豊かさに立ち遅れをもたらす**という意識です。

辛坊兄弟が子どものころは、「頑張って勉強していい学校に入っていい会社に行く」というのが当たり前の価値観と受け止められていましたし、**中学や高校の試験で成績上位者を壁に貼り出す**ことに何の抵抗もありませんでした。価値観が変わり、今、そんなことをしたら大変な騒ぎになります。親や教師は、子どもに頑張ることを教えません。競争は悪、**努力はカッコ悪い**と教えられた子どもたちは手に入らないものを簡単に諦め、そこそこで満足します。夢とあこがれを求めて頑張らない社会に、前向きな需要は生まれません。

それやこれやで、家計の消費の質が低下しています。去年、パリの有名ブランドショップに行って驚きました。店内から全く日本語が聞こえてこないのです。買い物をする側も応対する側も、話す言葉は中国語と韓国語。店の開く前から日本人が列を作って並んだ20年前とは様変わりです。日本国内でも、同じ状況が見て取れます。平日の昼間に銀座の中央通りを歩くと、「二人に一人は中国人」というのが実感です。

そのうえ、**日本人が並ぶのは、H&Mやアバクロなどの比較的安い値段で買える店**ばかりで、高級店に響きわたるのは中国語です。安くて良いものを求めて消費者が賢くなった、本当に必要なものを見極めて買う目が養われた、と言えば聞こえは良いですが、**長引く不況とフトコロ具合の悪化で高いものが買えなくなった**というのが現実なのです。

失速する最大の成長エンジン

企業の設備投資は、経済の最大の成長エンジンです。このエンジンも、出力が急低下しています。企業は家計の固い財布の紐の前に立たされています。値下げしないと売れないデフレ環境の中、低価格のプライベートブランドの開拓を進めるなど厳しい価格競争を繰り広げざるを得ません。

さらに、世界中の消費が蒸発したといわれた２００８年9月のリーマン・ショックによる世界的なバブルの崩壊が、輸出の激減となって企業にのし掛かっています。エコカー減税やエコポイントといったカンフル剤で下支えされて販売数量は伸びても、**価格の低下で売上げの増加になかなか結びつかない**のが現状です。

１９９０年代の「失われた10年」は純粋な国内問題でした。１９８０年代後半の低金利で、急拡大した株・不動産・設備投資のバブルが国内で崩壊したのです。そして、その痛手から回復できないまま、２００８年、海外での金融バブルが崩壊しました。

中国をはじめとする**アジア経済は比較的早い回復ぶり**を示していますが、大規模なインフラ投資をはじめとする財政出動に下支えされているとの警戒感が日本の経営者に強いことも否めません。外需の本格的な回復には時間がかかりそうです。経済政策や財政状況の先行きに不透明感が漂う中、長引く不況で保守的な傾向が強まった日本の企業に、思い切った設備投資需要は望めない状況が続きます。

強まる政府の手詰まり感

政府は補正予算を組んで2009年度の財政支出を拡大し、2010年度も大規模な国債発行を伴う大型予算を組んで需要の拡大に努めています。

しかし、税収の大幅な落ち込みと積年の財政赤字に手足を縛られて、思い切った財政出動（政府の支出拡大）や減税にはなかなか踏み切れません。公約だったガソリン税の暫定税率の廃止が見送られたところにも政府の悩みが表れています。

もうひとつの景気拡大手段である「金融政策」も、長引く低金利政策で打てる手は限られています。日本の「政策金利」は0・1%です。金利を引き下げて**企業や家計がお金を借りやすくし、設備や住宅への投資を促そう**としても、金利を下げる余地がありません。日本銀行がどれほどお金を世の中に供給しても、借りて使う企業がなければそれまでです。

こうして見てくると、消費の面でも、供給の面でも、国民の心理面でもどうにもならない現実ばかりが浮かび上がる一方で、ほんの少しだけ脱出のヒントが見えた時期もあったような気がします。実はそれこそが、あの悪名高い「小泉・竹中時代」だったのです。

第3章

日本沈没を食い止めた
小泉・竹中改革

現代日本の三悪人といえば、小泉、竹中、ホリエモンということで世の中の多くの人は納得しています。

「日本が不況になったのも、経済格差が広がったのも、郵便ポストが赤いのも、みんな小泉・竹中が悪いのだ」と言っておけば、テレビのコメンテーターは飯が食えるという時代も、それなりに長く続きました。

しかし、はっきりと断言します。この種の発想では、日本に未来は来ません。小泉・竹中改革とは、いったい何だったのか？

この章ではデータに基づいて論証します。小泉・竹中を論じるにはまず、その前の時代に遡《さかのぼ》らなくてはいけません。

1 小泉改革以前に日本で何が起きていたのか？

オイルショックで変わったこと

二桁の経済成長率を続けた日本の高度成長時代は、１９７３年のオイルショックで幕を閉じます。原材料を輸入して安い労働力で加工して輸出する、という発展途上国型の加工貿易が終わりを告げたということでもあります。

その後の実質経済成長率は１９７４年度こそオイルショック直後の狂乱物価対応に追われて０％に低下しましたが、１９７５年度３・２％、１９７６年度５・９％と今から見れば高い成長率を保っています。高度成長期の日本の潜在成長力は10％以上と考えられていましたが、オイルショックを境に５％前後とする見方が有力になりました。

日本経済の構造が変わったこのタイミングで安定成長に適合することができれば、日本経済は違う軌跡をたどっていたはずです。ところが、**政府と国民は高度成長の夢を追い続けました。ここが現代に至る間違いの出発点**だったように思います。１９７６年、77年と政府は大規模な公共事業を実施して景気の回復を目指したのです。

オイルショック以降、徐々に増勢を強めていた財政赤字が、堰《せき》を切って膨らみ始めた瞬間です。日本人は豊かになったが、**家と教育と老後にかかるお金が心配で消費が伸びない、個人消費が回復すれば日本経済は成長軌道に戻る**、というようなことがいわれていました。需要を支えるには財政赤字を恐れず先ずは需要拡大、という論法です。

続く1978年は7%という高い成長率目標の下、**内需拡大を目指した財政支出の増加方針**が示されました。この年の成長率は5・7%に終わり、1980年度の5・0%まで5～6%の経済成長が続きます。この間、国

	名目	実質
1981	6.5	3.9
1982	4.4	3.1
1983	4.6	3.5
1984	6.7	4.8
1985	7.2	6.3
1986	3.6	1.9
1987	5.9	6.1
1988	7.0	6.4
1989	7.3	4.6
1990	8.6	6.2
1991	4.9	2.3
1992	2.0	0.7
1993	-0.1	-0.5
1994	1.4	1.5

	名目	実質
1995	1.7	2.3
1996	2.3	2.9
1997	0.9	0.0
1998	-2.0	-1.5
1999	-0.8	0.7
2000	0.9	2.6
2001	-2.1	-0.8
2002	-0.8	1.1
2003	0.8	2.1
2004	1.0	2.0
2005	0.9	2.3
2006	1.5	2.3
2007	0.9	1.8
2008	-4.2	-3.7

(GDP:年度)

●経済成長率推移

http://www.esri.cao.go.jp/jp/sna/qe093-2/ritu-mfy0932.csv(データ:内閣府)

債残高は増加を続けました。予想よりも経済が成長しない。税収が伸びない。足りない分は国債で賄う。今に続く悪循環の始まりです。一度味をしめた借金の誘惑を断ち切るには、よほどの決意が必要なのです。

１９８０年代に入って成長率はいったん３％台に低下しますが、自動車や家電を牽引車として輸出が拡大し、わが国は成長を続けます。米国の対日貿易赤字が拡大して貿易摩擦が激化、１９８５年９月の先進５ヶ国蔵相・中央銀行総裁会議で円高ドル安誘導を実質的な内容とするプラザ合意が成立しました。85年初めに１ドル２５０円を超えていた為替相場が、わずか1年のうちに１５０円台まで急騰したのです。

急激な円高を背景に、１９８６年の実質経済成長率は１・９％に急落します。この事態に対応して日本銀行は5回にわたる金利引き下げを行い、**日本は歴史的な超低金利時代に突入**しました。円高による景気の後退は比較的短く、１９８６年末に日本経済は再び成長軌道に戻ります。超低金利の下で企業の設備投資は大幅に拡大、株式や土地が急騰を始めます。日本の土地を売れば米国全土が買える、とまでいわれた「金余り」下のバブル経済です。１９８９年12月29日の大納会、東京証券取引所で日経平均株価はついに史上最高値の３万８９１５円87銭を記録しました。

バブルの崩壊

明けて1990年1月4日の大発会で、日経平均株価は3万8712円88銭に下落します。日本のバブル崩壊の序曲です。株価はその後暴落を続け、90年末には2万3000円台にまで落ち込みました。成長を続けていた経済もこれに引きずられるように下降を始め、いわゆる「失われた10年」が始まったのです。

バブル期に銀行借入れで**土地投資、株式投資に走った中小企業がバブルの崩壊とともに大損**を出して、本業にまで影響が出る事態となりました。そんな企業にこぞって金を貸して**バブル発生の原因を作った銀行も、不良債権の増加で窮地**に立たされました。

銀行が大損すると、貸せるお金が減少します。簡単にいうと、銀行がお金を貸すためには、万一貸出先がつぶれたりした時に預金者のお金で損を穴埋めしないように、預金以外の銀行自身のお金を持っておかなくてはいけない決まりがあるのです。これが自己資本規制というものです。

例えば8%の自己資本規制なら、100万円のお金を貸し出すためには、銀行自体が8万円のお金を自分の財産として持っている必要があるのです。貸出先がつぶれれば、貸していたお金はパーです。その損は自分のお金、つまり自己資本で埋めなければなりません。貸出先がどんどんつぶれれば**自己資本がどんどん減りますから、その分、貸出しできる最大額も減ってゆく**という構図になるのです。これが貸し渋り、貸しはがしの原因です。

銀行が金を貸せなくなると、そこからの金で回っていた証券会社や企業が倒産します。また、すぐにつぶれなくても、過剰債務（平たくいえば借金）、過剰設備、過剰雇用を抱えた企業も活力を失います。

こうしているうちに、新卒採用の抑制が「就職氷河期」を招き、長い間2％台を保ってきた**失業率が3％を超えて増加**し始めました。

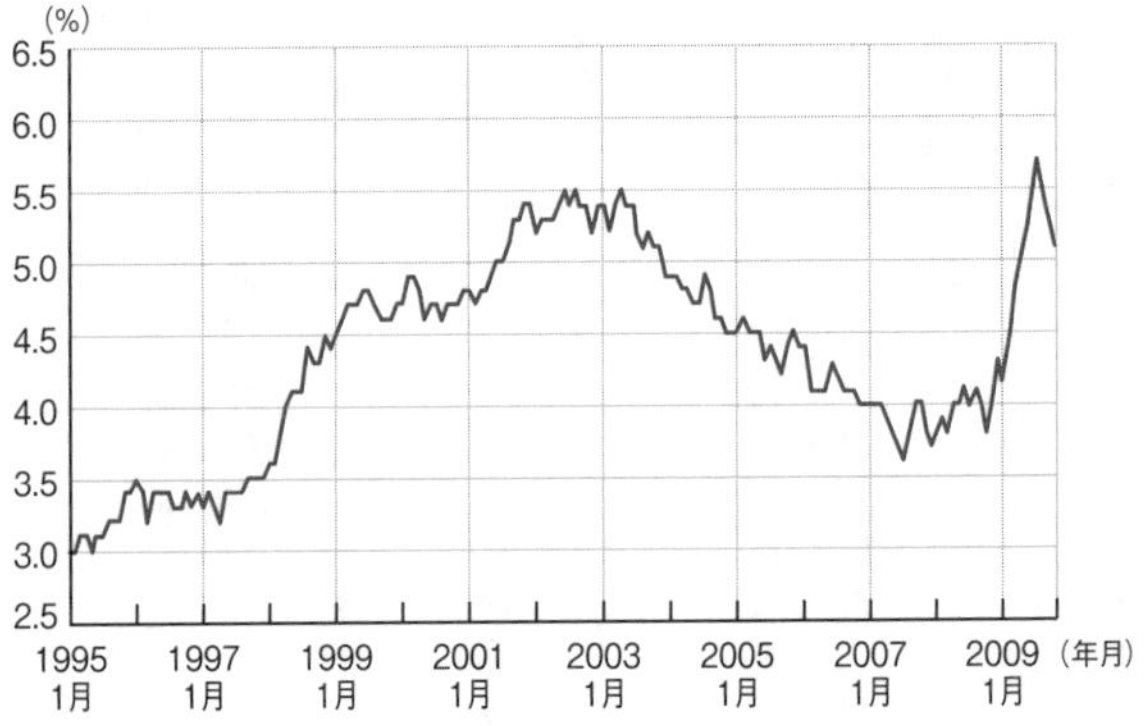

●完全失業率（季節調整値）の推移　男女計

http://www.stat.go.jp/data/roudou/sokuhou/tsuki/pdf/054suii.pdf

沈んだ時期が悪かった

折悪しくこの時期は１９８９年11月のベルリンの壁崩壊で東西冷戦が終結し、世界の経済構造が大きく変わり始めた時期と重なります。別に東西冷戦が終わって悪かった、といっているのではありません。共産主義崩壊は歴史的必然ですから、それは結構なことです。

ちなみに辛坊弟は壁が崩れた直後にベルリンに駆けつけて、自らハンマーを振ってぶち割った壁の一部を家宝として保存しています。使われていたアスベストを吸引していないかちょっと心配です。

壁崩壊の後１９９３年に欧州連合が発足し、１９９９年の単一通貨ユーロ導入に向けて大陸欧州の国境が低くなっていきました。米国ではＩＴ革命が進み、通貨危機を乗り越えたアジア、中でも**中国が世界の工場として急速な発展**を遂げます。

世界経済のグローバル化が急速に進む中、日本経済は構造調整に追われてビジネスモデルの変革ができず、徐々に立ち遅れていきました。これが１９９０年代の失われた10年です。

この間、日本の政治は「政治改革」「行政改革」という名の権力闘争に明け暮れました。与党と野党の権力闘争が、「政治改革」という名の選挙制度改革。「行政改革」というのは、政治家と役所の権力闘争としての省庁再編でした。

律令時代から続いてきた「大蔵」省の名前が消え、アメリカ式に「財務」省となったのが、この時代の象徴的な出来事です。世界史の中で、日本がどんな立ち位置にいるのか、今やらなくてはいけない経済政策はなんなのか、そんな難問に真正面から立ち向かうどころか、その存在に気づいていた政治家は皆無という惨状だったのです。

国中を閉塞感が覆い、新世紀を迎えて政府より先に危機を感じ取った国民が徐々に増える中で登場したのが「自民党をぶっ壊す」と叫ぶ小泉純一郎でした。2001年4月、従来の密室談合自民党政治とは異なるスタイルの新政権が誕生し、**戦後の日本が経験したことのない経済実験**が始まったのです。

2 データが示す小泉・竹中時代の功績

✵小泉が若者から職を奪ったという大ウソ

数字がすべてを物語ります。こうして数字を見せると必ず「マスコミは、数字の一部を見せて世論を誘導する」なんてことを言う人が現れます。心がけとしては正しいと思いますが、これからお見せするすべての数字に反論できる別の数字があれば教えてください。ハッキリ言います。そんなものはどこにもありません。以下、図表を赤でアミ掛けした部分が小泉政権時代の動きです。

（ア）株価

こうしてあらためて見ると、80年代後半のバブルがいかにすごかったかが分かります。たった4年で株価が4倍、**100万円で株を買ってほっとくだけで、4年で400万円に**なったのですからこれは異常です。しかしその後下がり続けた株価は、小泉政権誕生の2

年後から顕著に上がり始めます。中には「外国の株が上がったから、つられて上がっただけだ」なんてことを言う人がいます。一面事実ですが、むしろ90年代、世界中、特に米国の株が空前の上昇を続けていた時に、日本の株が下がり続けていた事実、逆にいえば、**日本の株価と外国の株価がほとんど15年ぶりに同期するようになった事実にこそ目を向けるべきです。**

（イ）経済成長率

同じく赤アミ部分が小泉政権時代のGDP成長率です（162ページ）。第1章からしつこく書いているとおり、すべての経済指標の基本です。この間、名目成長率が実質成長

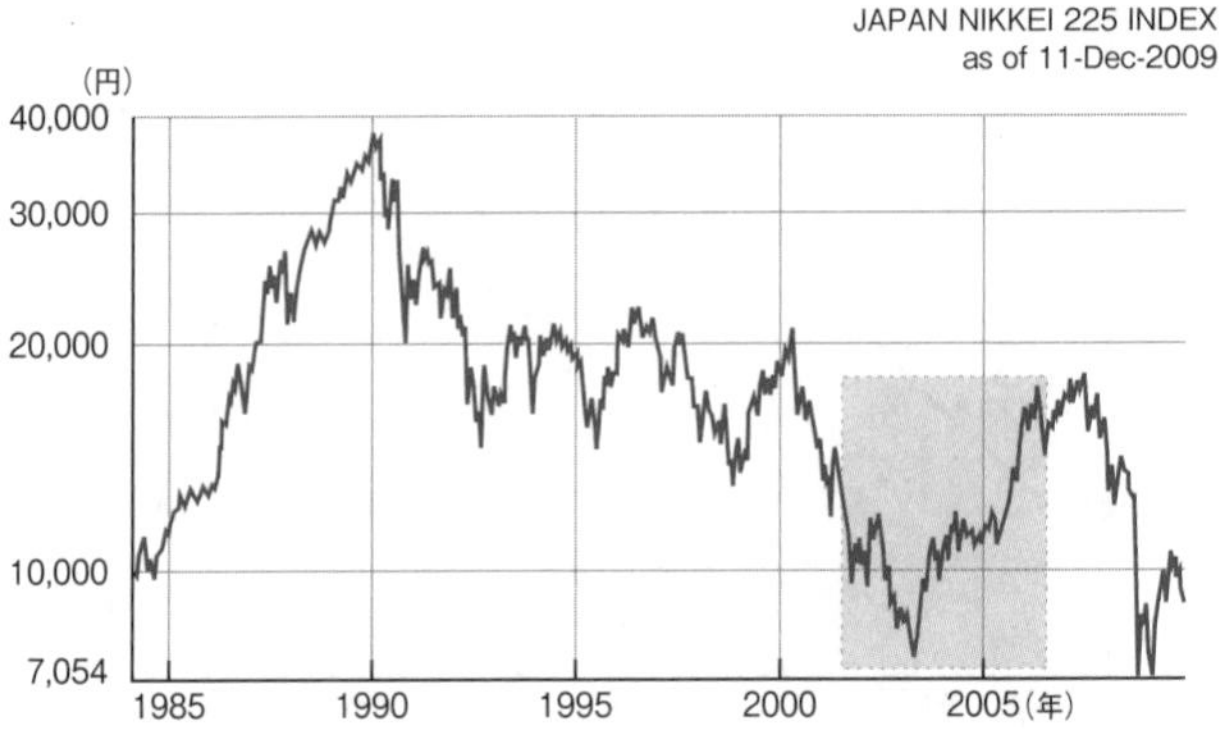

●日本の株式相場推移

http://sisannka.com/chart.html

率を下回っていることは問題です。なぜなら、それは、**物価が下がっている分だけ肌で数字を感じ取れる名目成長が小さいのに**、統計上はより多く成長しているように見える、というだけの話だからです。

しかし、この時代、その名目成長率がなんとかプラスを維持していたことは特筆に値します。とにかく、GDPが低下するということは、確実に国民全体の生活水準が低下するということを意味するからです。それに比べて小泉時代の前後が、名実ともに、あるいは名か実のどちらかがマイナスであることを確認してください。

（ウ）失業率

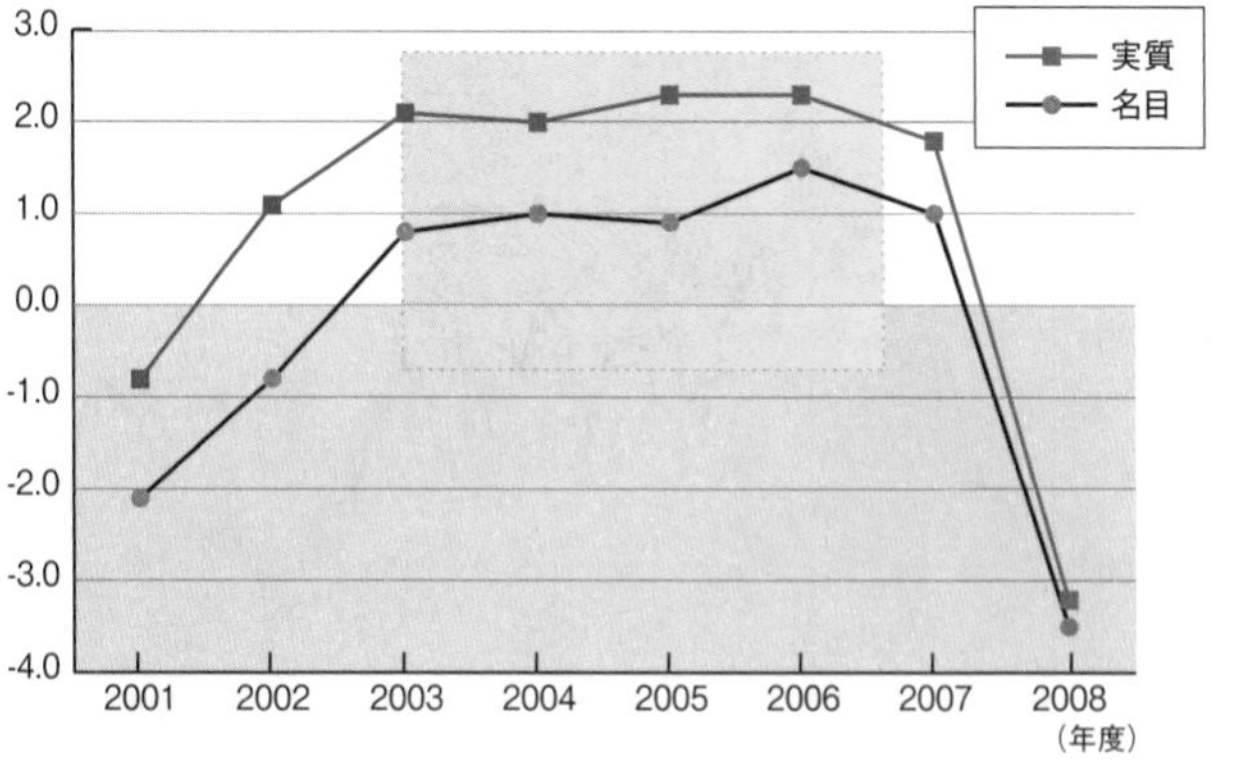

●GDP成長率

内閣府ホームページ

下のグラフは、さらに小泉時代を鮮明に浮かび上がらせます。完全失業率はこの間、低下の一途をたどり、政権末期には有効求人倍率が1を超えています。この数字が1を超えているということは、**仕事を選びさえしなければ、求人者の全員に職が行き渡る**ということなのです。小泉が、若者から職を奪ったというのは、完全な嘘であることが分かります。

問題はその前後の時代です。今や有効求人倍率は0・5を切りました。えり好みしなくても、求職者の半分以上は職にあぶれてしまうのです。この点についてさらに明らかなグラフをつけておきましょう（164ページ）。これは毎年の年度末における、高校生の就職内定率です。これも、**小泉時代に劇的に数値**

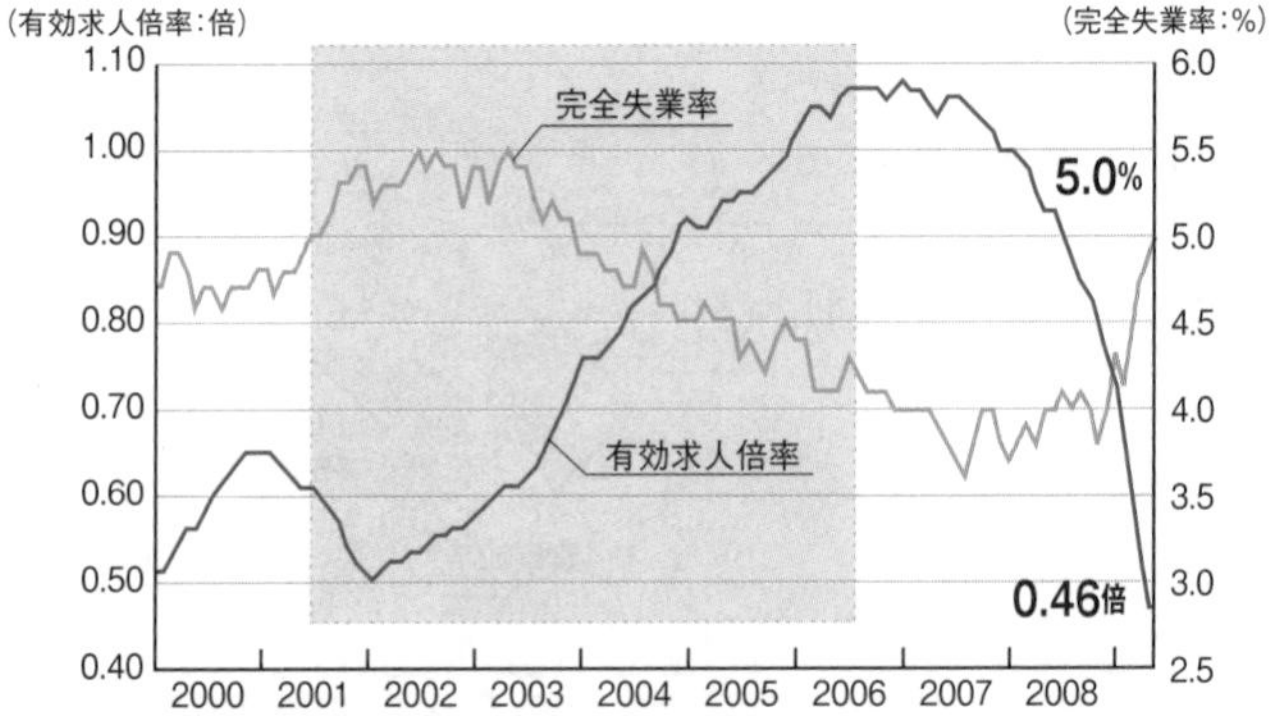

●我が国の有効求人倍率と失業率の推移

総務省「労働力調査」、厚生労働省「職業安定業務統計」から作成
通商白書2009年版　http://www.mof.go.jp/zaisei/con_02_g02.html

は改善したのです。新しく社会に出る若者に仕事がないことほど、社会不安を招くことはありません。

（エ）財政状態

次ページのグラフは、国の財政状態の変化を表したものです。90年代にどんどん増えた歳出は、小泉時代に入ると横ばいになり、税収もバブル崩壊後初めて持続的な上昇傾向に転じています。それまで伸び続けていた公債発行額も横ばいになります。数字上は高い水準で横ばいですが、これは、過去に発行していた国債の償還が影響しています。償還期限が来ると借換えをするために国債を発行しなくてはなりませんので、棒グラフが下がり始

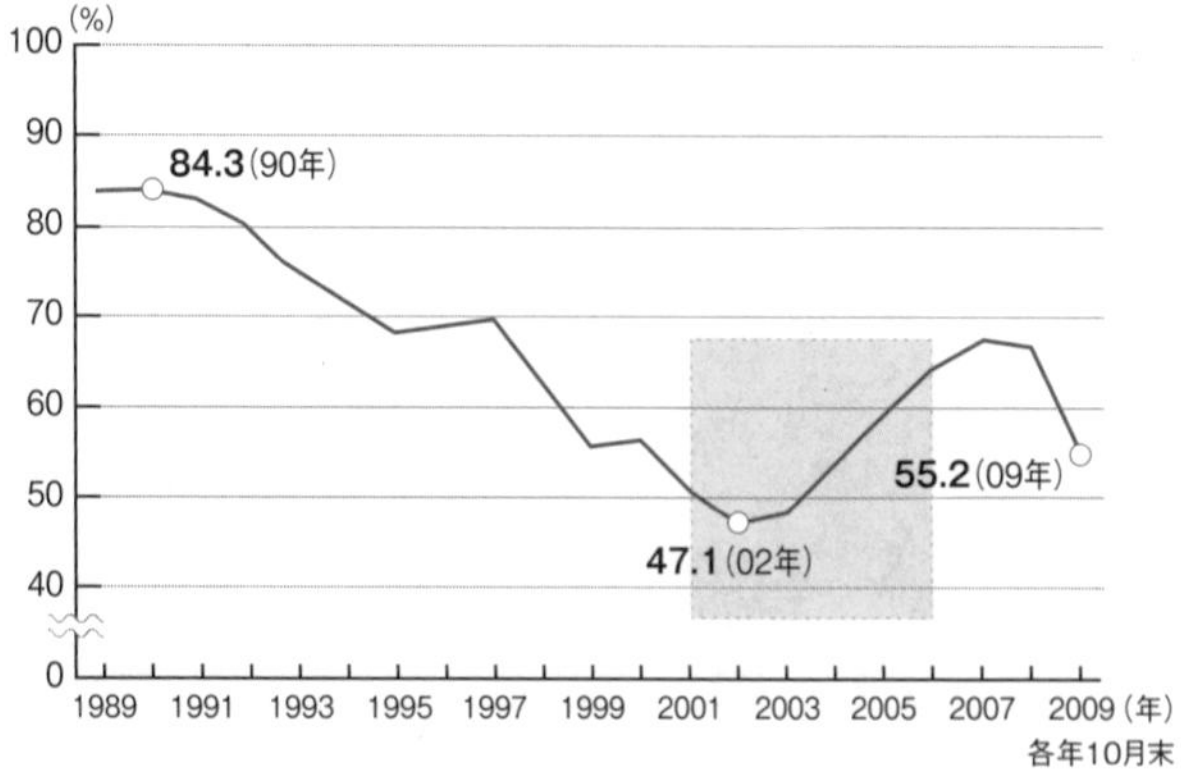

●高校卒業予定者の就職内定率の推移

文部科学省より

めるまでにタイムラグが必要だからです。大切なのは、前年より増えないということです。

こうして見てみると、**小泉政権が支出抑制による財政均衡を目指し、おおむねそれに成功した**ことは数字上明らかです。以上の統計がはっきりと示すのは、改革の方向性が明確になった2003年度から株価は上昇を始め、2003年度、2004年度は資本収支がプラスに転じ、日本に海外から資金が流入し始めたということです。経済成長率もこの間、実質、名目とも前後に比べ明らかに高い水準を維持しています。これは日本の内外で日本への成

一般会計における歳入と歳出には大きなギャップ（財政赤字）があります。赤字分は公債の発行でまかなわれ、平成20年度予算では一般会計歳入に占める税収の割合は6割強にとどまっています。

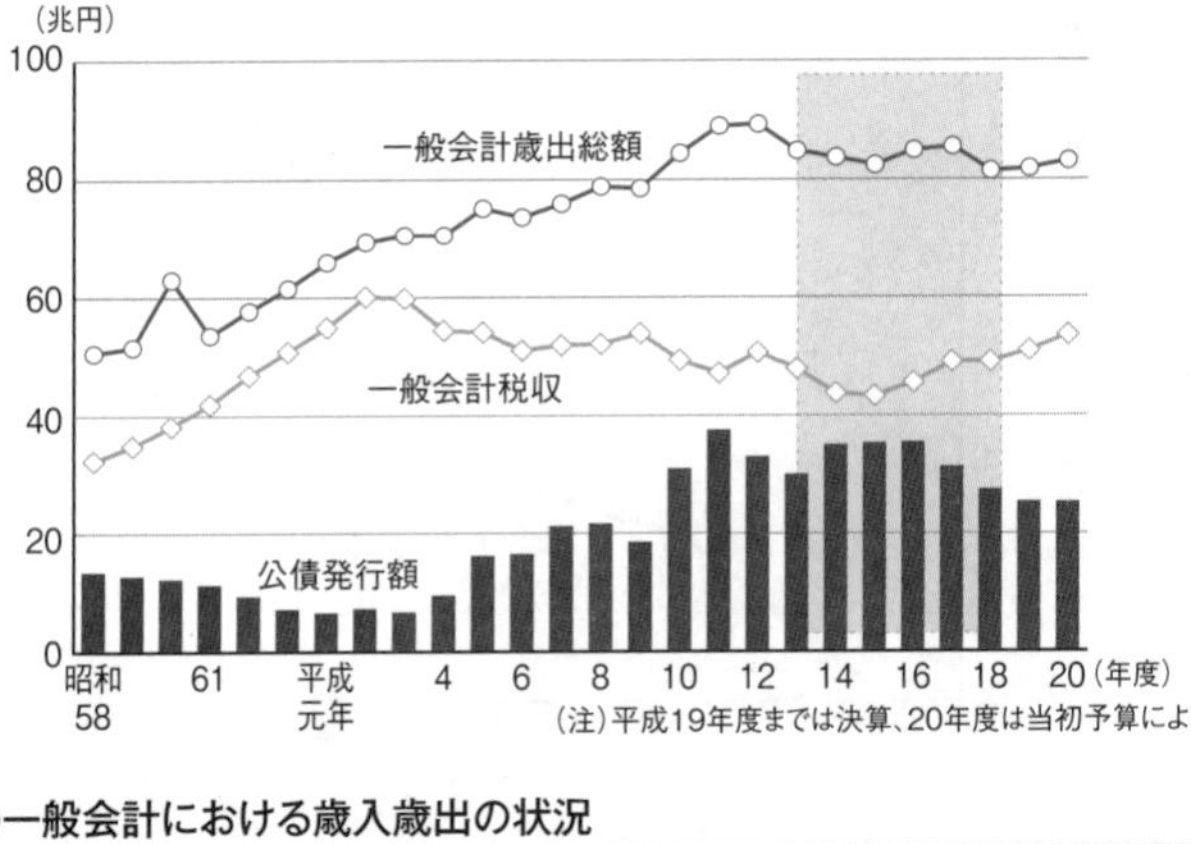

（注）平成19年度までは決算、20年度は当初予算による。

●一般会計における歳入歳出の状況

http://www5.cao.go.jp/j-j/wp/wp-je09/pdf/09p03021.pdf

長期待が高まった時期とぴたりと重なります。統計の最後に、俗説をひっくり返すとどめの一発をお見せしましょう。

（オ）ジニ係数

民主党政権になって、日本の貧困率を初めて政府が明らかにしたとニュースになりましたが、ここにはかなりの嘘が含まれています。今までも日本政府が提供する資料に基づいて、ＯＥＣＤが、日本の格差や貧困率を計算し、小さな記事としては常に報道されていたのです。ハッキリ言って、多くのメディア人がそんなことも知らなかったのか、という方が私にとっては大きな驚きでした。格差を表す最も一般的な係数は

労働所得のジニ係数の推移

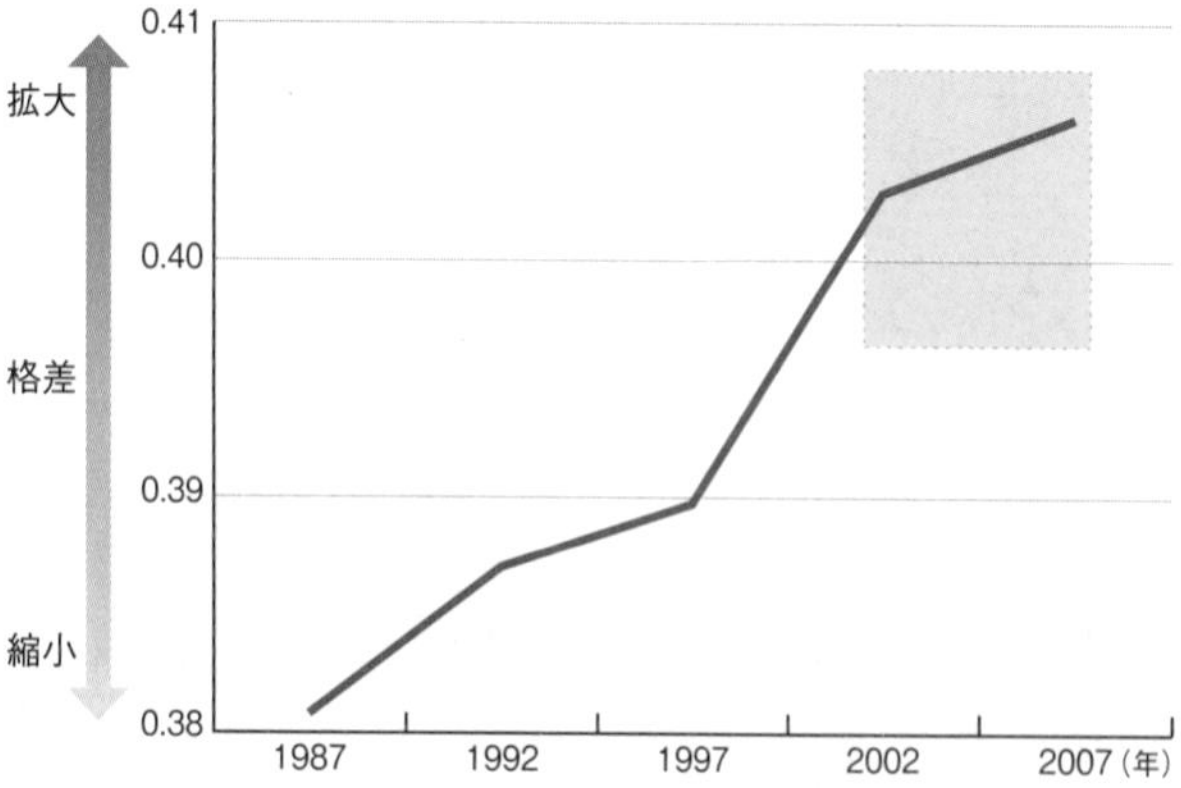

●労働所得の分配状況

ジニ係数と呼ばれるものです。これは**ひとりがすべての富を独占している場合に1、逆に完全に平等な社会を0として、**その間の指数で、社会的格差を算出するものです。

一目瞭然とはこのことです。日本の格差が決定的に大きくなったのは、1997年の金融危機から、小泉政権誕生前夜までです。このグラフを見てなおかつ、「小泉時代が格差の元凶」と言う人は、もはや黒いカラスを見ても白いと言い張る人と同じです。

とはいうものの、小泉政権のせいではありませんが、90年代以降日本で格差が広がったのは事実です。その構造はこうです。

技術の進歩とグローバル化が格差の本当の原因

技術が進歩し経済がグローバル化すると、所得格差は拡大します。日本に限らず主要各国で格差の拡大傾向が見られ、インターネット革命とグローバル化の旗がしらであった1990年代の米国で、その傾向が特に顕著なのはそのためです。

技術が進歩すると、人間が行っていた作業が機械に置き換わります。10人でやっていたことがひとりでできるのですから、9人は失業します。手作業と違って熟練も要りませんから、世界中どこでも機械さえあれば生産できます。言葉の壁もさほど問題になりません。グローバル化が進んで、企業は工場を簡単に国外に移せます。

そうなると、単純な機械操作に従事する人は、中国やタイ、さらには**賃金が日本の10分の1、20分の1といった発展途上国の労働者と競争**しなければなりません。世界的な競争に晒《さら》されている企業は、日本人だからという理由で高い給料を払うことができなくなります。海外でバリバリ活躍できる人と発展途上国の労働者並みの仕事しかできない人、あるいは**発展途上国に仕事を奪われて失業する人**との間に大きな差ができてしまいます。

大量生産の時代に技術進歩で仕事を失うのは、主に工場などで働く人たちでした。ところが、IT革命が進んで技術や事務を担うホワイトカラーにもその波が押し寄せました。

システムや技術の開発拠点を海外に置いて、情報をインターネットでやり取りしながら仕事を進めることができるようになると、日本の技術者が**安くて優秀な中国やインドの技術者との競争**に晒されます。事務処理の世界でも、同じことが起こり始めています。何気なく電話している企業のコールセンターが、実は海外にあるということも既に珍しくない時代です。

電子メールの発達で部長のメッセージが簡単に部員に伝わり、パソコンが使いやすくなって上司が手軽に情報を整理できるようになると、**課長や係長などの中間管理職が要らなくなって組織が鍋のふたみたいな形**になります。つまみのところが部長であとはみんな平社員なら、部長にならない限り給料が上がりません。

技術が進歩しグローバル化が進むと、**余人には真似のできない能力を活かして仕事をする人**たちと、世界中どこでも誰にでもできる仕事に従事する人たちとの間で所得格差が広がります。これは、日本のみならず世界が直面している構造的な課題なのです。

既得権益にしがみつく人々がでっちあげた天下の三悪人

それではなぜ、小泉・竹中・ホリエモンは日本の三悪人になったのでしょうか？　それには理由があります。

小泉政権への風当たりが強まったのはむしろ政権の退陣後で、**新自由主義的な市場原理主義が格差を拡大した**というところに非難の焦点があるように思います。客観的な数字を見る限り、格差を表すジニ係数が急速に高まったのは明らかにバブルの末期と小泉政権誕生前の不況の時期で、**小泉政権の間は失業率が下がり、ジニ係数の拡大はむしろ抑制**されています。

歳出削減や小さな政府から連想しやすい新自由主義、市場原理主義というプロパガンダを、**グローバル化や技術革新から必然的に生じている世界的な格差拡大傾向**に政治的に結びつけたという側面が強いように思われます。

経済成長率と株価が下降に転じ失業率が上昇に転じたのは、財政赤字が再び増加傾向を示すなど構造改革への期待が急速に萎《しぼ》んだ福田、麻生内閣の時代になってからのことです。

一連の経済指標の動きを見てみると、**格差の拡大や円高・デフレを小泉改革と結びつけて語る最近の論調は、構造改革によって既得権益を失う人たちの意図的なアジテーション**である可能性もあります。日本の進むべき道を考えるうえで、冷静に捉えておかねばならないところです。

既得権益ということでいえば、小泉改革を象徴するのが、郵政民営化です。その本質を見てゆくと、日本の立て直しに必要なことはいったい何か、が見えてきます。

3 郵政民営化退行で日本はジリ貧

郵便貯金は政府の便利なお財布

そもそも郵便貯金は戦時中、巨額の貯蓄を家計から集めて戦費を賄うために使われました。戦後も郵便局が集めたお金は大蔵省資金運用部に預託することが義務付けられ、財政投融資の資金として使われてきました。財政投融資は、簡単にいえば政府が特殊法人などにお金を貸し付け、国家政策のための事業を行わせることです。さまざまな特殊法人が対象になりますが、**天下りの温床になるなどして必ずしも効率的に運営されていない**ことはしばしば話題にのぼるところです。

税金や国債とは違って制限なく集められる巨額の郵便貯金が財政投融資を通じて特殊法人を肥大化させ続けることが問題になり、財政投融資改革が行われました。2001年4月以降郵便貯金の資金運用部への預託義務がなくなり、2003年4月には、依然として国営ながら、独立採算の旗印の下で日本郵政公社による自主的な運用が始まったのです。

ところが今も、**郵便貯金と簡易保険を合わせた300兆円ほどの資金のざっと80％程度は国債の保有に流れています。**郵便局が政府の信用（国が保証しているかのような安心感）を利用すれば、民間の銀行より遥かに有利にお金を集めることができます。

その巨額の資金が政府の財布として使われれば、折角の国民の貯蓄が日本企業の成長のために活用されません。「消えた個人金融資産」を生んだ最大の「間接金融機関」が郵便局だったのです。

郵政民営化がなぜ構造改革の本丸なのか

「聖域なき構造改革」が小泉政権の掲げたスローガンでした。「官から民へ」「中央から地方へ」がその柱です。郵政民営化は「構造改革の本丸」であり、「官から民へ」の象徴と位置づけられました。郵政改革がなぜ「官から民」への象徴とまで言われるのか。郵便局員を公務員から民間人に変える、国営会社を民営会社に変える、というレベルで見ていたのでは本質が分かりません。

ポイントはずばり、「政府が便利に浪費している国民の貯蓄を、民間企業の成長資金として取り戻す」という一点です。だから「官から民へ」なのです。このお金を便利に使っている**官僚や政治家、既得権益を持つ郵政ファミリーは票をバックに当然猛烈に反対**しますが、その無駄を許すと国民の将来の所得が増えません。うっかりすると、貯蓄の元本も実体がなくなることはもう分かりますね。長い間、そこに問題があることを指摘する声は常にありました。ですが、誰も手をつけようとはしなかったのです。堅牢な既得権益の構造に切り込む、だから「聖域なき構造改革」の本丸なのです。

「官から民へ」の象徴、「構造改革の本丸」であった郵政民営化は、民主党政権の誕生を待つまでもなく、**小泉内閣の退陣後たちまち骨抜き**にされていきました。メディアを含めて郵政民営化がなぜ必要かという本質的な説明と議論は乏しく、「空気（ムード）」に支配されて急速に民営化が進んだことがその背景にあります。このため、郵政民営化がなぜ必要かという本質を正確に理解している国民が少なく、今に至るまで「お年寄りが不便になる」「地方の切り捨てだ」といった声ばかりが過剰に流され続けています。

この結果、民営化を必要とする本質的な理由である「官による郵便貯金の無駄遣いをやめさせる」ことと、「郵便局の使い勝手を維持する」ことのどちらが国民にとってより重要かという冷静な議論が消し飛んでしまいました。今後どちらの方向に向かうにしても、この判断がきちんとなされないまま事態が進んでいくのは国民にとって不幸なことです。

米国も郵便は国営だ、などと本質をすり替えた発言をする人がいます。ですが、米国の郵便局には**郵便貯金や簡易保険のようにお金を集めて政府に供給する機能**はありません。問題は郵便局が「政府の財布としてお金を集める」役割を担っていること、郵便事業と郵便貯金事業、簡易保険事業を官営の郵便局で一緒にまとめて取り扱うために非効率が生じていたこと、にあります。

全国一律のサービスのために本当に必要なら、郵便事業は国営のまま置くこともひとつの手ですが、**日本の郵便料金が米国その他より格段に高い**ことは、日本の郵便システムのどこかに、多くの無駄や既得権益が隠されていることを示しています。それを実感しようと思ったら、来年の年賀状は、年末に海外へ行って、そこからまとめて日本に国際郵便で出してみてください。多くの場合、**国際郵便で日本に送るほうが、日本国内から送るより切手代が安く済む**はずです。これっておかしくないですか?

今、政府のがんじがらめの規制を突破して、既にこの領域で民間の事業者が成長してきています。また諸外国に比べて高い郵便料金は、日本企業のコストを増加させて成長力を削いでいます。民間企業の成長を阻害し、高い郵便料金を負担してでも既存の郵便局網をすべて守るか、民間事業者を育てて郵便料金の引下げと経済の成長を図るかは、確かに多少の議論の余地があるでしょう。しかし、このことと、郵便貯金や簡易保険のお金の大部分が国の財政赤字の穴埋めに消えてよいかということとは別の次元の問題です。

つい最近金融大臣は、現在郵便局に課せられている「預入れ上限1000万円」の撤廃を口にしました。将来郵便局以外の民間の金融機関が国債を買わなくなったときに備えて、実質国有化に戻された郵便局が、さらなる国債買い増しのできる体制を作ろうとしているとするなら見事な深謀遠慮です。そうすれば、確かに迫りくる国債暴落の時を先延ばしにすることができるかもしれません。

しかし、その代わりに、民間の投資に回って日本を豊かにするお金がなくなり、さらなる**日本のじり貧を加速させる**ことになるのは、すでに説明したとおりです。本質を見極めずに、間違った政治家の行動を見逃すと、本当にこの国は滅んでしまいます。

国民に自立を求めた小泉政権の成長戦略

「聖域なき構造改革」の目的は「改革なくして成長なし」という標語に表れています。これは、まずは成長力の高い経済構造を作り、その成長力をバネにして直面するいろいろな問題を解決するという方向性の明示です。それを具体化した「官から民へ」という方針は、競争に晒されない非効率な政府を肥大化させず、**民間でできることは民間に任せて経済を活性化させる**との政権の意思を表しています。

「中央から地方へ」は地方でできることは地方に任せて行政の無駄を省き、限られた資金を地方の成長や福祉向上に真に役立つ方法で使わせるとの意思表示です。

これは、1979年から1990年までイギリス保守党政権の首相を務めて「鉄の女」と呼ばれたマーガレット・サッチャーや、1993年に政権の座についたカナダ自由党政権が取った成長戦略に類似します。

サッチャーは**「イギリス病」とまでいわれたイギリス経済**を立ち直らせ、カナダ自由党政権はGDPの約6%の財政赤字を抱えて歳入の35%が利払いに消えていたカナダ経済を3年で黒字化させました。一方で政府の関与を減らしますから、程度の差はあっても国民に「自立」と「痛み」を求めざるを得ません。

護送船団体制以来の伝統である政・官・財の癒着を断ち切り、官の権限を縮小しない限り日本への導入は難しい政策です。中央官庁を筆頭に、利害関係者の猛烈な抵抗が生じることは避けられません。現に激しい抵抗運動が起こり、国民の圧倒的な支持を得た小泉内閣ですら結局、すべてを完遂することはできませんでした。

改革の痛みを越えなければ、日本は死ぬ

「官から民へ」の施策のうち、国の信用や権限を使って集めた資金を官が非効率な分野に勝手に投入して民間活力を削ぐことを止めさせよう、という狙いで行ったのが、郵政民営化、一種の国営銀行である政策金融機関の統廃合、独立行政法人の統廃合、道路公団の民営化などです。

また、官によるさまざまな規制を廃して市場の機能を働かせ、経済の自律的な成長を促そう、という狙いで行ったのが、構造改革特区制度の制定や労働者派遣法の規制緩和などの一連の政策です。規制の撤廃は、規制で守られていた集団に痛みを与えます。

労働者派遣法の規制緩和なども、企業の都合で一方的に首を切られる労働者には痛みを伴う政策です。しかし、単純にこれを禁止していたならば、世界の他の企業との競争を強いられる日本企業は、間違いなく今よりもっと**生産拠点を海外に移して、さらに日本を空**

洞化させていたはずです。かといって**海外移転を規制すれば、企業はいずれ国際競争に敗れて消滅します。**その結果は海外でバリバリ働くことのできない大多数の国民や下請けの中小企業にとっては、規制緩和以上に厳しいものになるはずです。

大切なのはバランスです。多くの人には意外、あるいは心外とまで思えるかもしれませんが、小泉政権後半の失業率の改善と有効求人倍率の上昇は、この方針の一定の成功を表しています。雇用規制色を強める方向に舵を切った安倍政権以降、雇用情勢が再び悪化し始めていることが、この国で起きていることのすべてを雄弁に物語っているのです。

ただ、ひとつ言っておかなくてはならないのは、**小泉改革の方向性は間違いではなかったが、完全ではなかった**という点です。この政権の最大の問題を指摘するならそれは、リーマン・ショックのような大問題が発生した時のセイフティーネットを張っておかなかった点です。経済活動のすべてにわたって政府の関与を減らし、既得権益を守るためにだけ存在するような不合理な規制を撤廃して、民間活力で景気全体を底上げする方針は正しい。

しかし、その一方で、最低限の社会保障制度を構築するための予算を確保して、**個人の才能や努力ではいかんともしがたい境遇に落ちた人を救う**体制を作ることにも、同じ情熱を割くべきだったと思うのです。

第4章

政権交代への失望

労働者保護で失業率UP

5年半続いた小泉政権を2006年9月に引き継いだ安倍内閣は、「美しい国」を基本テーマとして「戦後レジームからの脱却」を目指しました。現行憲法に基づいて作られてきた**戦後の行政、教育、安全保障、経済などの枠組みを時代の変化に合わせて作り変える**試みです。防衛庁の防衛省への格上げ、愛国心を盛り込んだ教育基本法の改正、教員免許の更新制導入など教育や安全保障面で明確な方向性を示した反面、財政経済一体改革を目指したはずの経済では成長戦略の柱が次第に見えにくくなっていきます。

都市と地方の格差や非正規雇用の増加を小泉改革の負の側面と捉え、「再チャレンジ」政策でフリーターの正社員雇用を企業に求め、**偽装請負などの労働基準法違反を厳格に摘発**するとの方向性を打ち出します。

一方、知的労働者の労働時間を有効活用して生産性を高めるべく打ち出した「ホワイトカラー・エグゼンプション」は「残業代ゼロ法案」と野党やメディアに攻撃されて断念するなど、結果的に**政策の軸足は経済成長から労働者保護**へと移っていきました。

その後「安心と希望の国作り」の福田政権を経て、2008年9月に麻生内閣が発足すると、政府の財政運営の考え方が一変します。安倍内閣、福田内閣はともに財政均衡に一定の軸を置いていましたが、麻生内閣は財政健全化を目指した小泉政権の構造改革路線を明確に否定し、基礎的財政収支の黒字化目標達成年度を延期して財政出動を一気に加速させました。

地方活性化のためには道路交通網を整備する公共事業が必要、個人消費拡充のためには大規模な定額給付金の支給や住宅ローン減税が必要、地方やお年寄りを切り捨てる郵政民営化は間違い、というわけです。大規模な財政支出が行われたことから一定の景気浮揚効果はあったとされますが、労働力、設備、技術という経済成長を支える要素にどのように働きかけるかという明確な方針がないままの財政出動でしたから、景気浮揚効果が一巡したあとに借金だけが残る政策だったと言わざるを得ません。

経済政策を巡る混迷と財政赤字の拡大、年金や医療をはじめとする将来への不安を背景に日本経済への成長期待は萎み、企業は設備投資を抑制し個人は消費を控え始めます。構造改革の期間を通じて上昇傾向にあったＧＤＰと株価が２００７年を境に下降に転じ、**低下傾向にあった失業率は上昇**に転じました。

総選挙敗北、民主党政権誕生を見越した焦土作戦とまで揶揄《やゆ》された財政赤字の急拡大や麻生内閣への信任の低下で閉塞感が再び世の中を覆い、変化を求めて政権への逆風が吹き始めます。

２００９年9月、台風に成長した猛烈な逆風はついに自民党政権を吹き飛ばし、鳩山民主党政権を誕生させました。構造改革による経済成長を掲げた小泉政権の社会実験が終わって3年、その成果がおおよそついえたところで「コンクリートから人へ」を標語に民主党の社会実験が始まったのです。

友愛政治と経済破綻

このグラフは公共事業関係費予算の推移です。小泉政権がスタートした２００１年（平成13年）以来、公共事業費は顕著な減少を見せています。「コンクリートから人へ」を掲げる鳩山政権ですが、公共事業、つまり**コンクリートを減らす努力は自民党政権の構造改革で既に導入済みの路線です。**

小泉路線と鳩山路線の際立った違いは支出の側にあります。小泉政権は増勢を強める社会保障費などの伸び率を抑制して財政規律の回復を図り、国民に痛みを求めながら、まず

は経済全体のパイを大きくする戦略を取りました。

鳩山政権はパイの拡大を待つより、まずは財政支出を拡大して国民の生活を支えることが先決であると主張しています。

首相の所信表明演説によれば、目指すところは「弱い立場の人々、少数の人々の視点が尊重される友愛政治」であり「家計を直接支援することで人間のための経済への転換を図る」ことです。

この総論に反対であるという人は少ないはずで、国の経済を破綻させることなくいかにそれを達成していくかの力量が問われます。

平成20年度公共事業関係費　**67,352億円**（前年比△2,121億円、△3.1％）

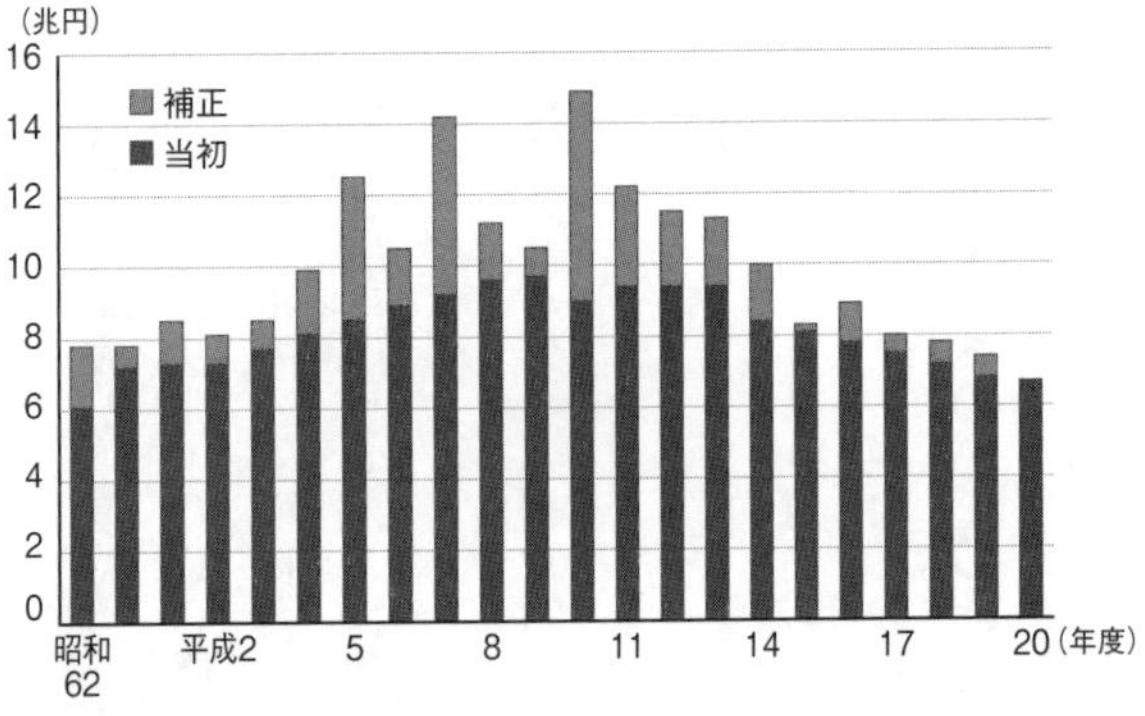

●公共事業関係費予算の推移

http://www.mof.go.jp/jouhou/syukei/sy014/sy014s.htm

子どもの未来を暗くする子ども手当

民主党のマニフェストの行程表によれば、政策を実行し終わる平成25年度時点で新たに必要になる財源は16兆8000億円です。予算の無駄を省くことで9兆1000億円、基金や特別会計に眠っている資金（「埋蔵金」）を引き出すことで5兆円、租税特別措置（特例で税金を減免すること）を見直すことで2兆7000億円を生み出して、これを賄う計画です。

このうち「埋蔵金」の5兆円は毎年出てくるものではありませんので、経常的な財源として考えることができるのは11兆8000億円です。計画どおりできたとしても経済成長による税収増などがなければ、実際上5兆円の財源が不足します。

16兆8000億円の使い道には、子ども手当と出産支援の5兆5000億円のほか公立高校の実質無償化、医療と介護の再生、農家の戸別所得補償、ガソリン税などの暫定税率の廃止、高速道路の無料化、後期高齢者医療制度の廃止など**消費者へのパイの配分を重視した政策項目**が並びます。支出項目の大部分は将来の税収増に結びつく資産形成ではなく、毎年経常的に発生する経費や減税ですので、借入れに頼らず毎年の税収で賄わなければなりません。現在の税収が毎年40兆円前後であることを考えれば、極めて意欲的な支出増加計画です。

予算の無駄に大きく切り込んで、計画どおりの財源を生み出すことができれば国の姿が変わり、個人消費の拡大にも一定の効果が期待できます。但し、財源に不安を抱えたまま支出の増加を強行すれば、財政赤字がさらに膨らんで将来世代の負担が増し、わが国の成長への期待度は一層低下します。

万一そのようなことになれば、大増税かハイパーインフレーション以外に借金を返す道はありません。親が受け取った**子ども手当や出産支援のツケを結局その子ども自身が払う**というまったくもってシャレにならない話になるのです。

やっぱりお金が足りない

鳩山政権成立以来の道筋は、この笑えない冗談が現実のものになりかねない危うさを感じさせます。２０１０年度当初予算の規模は、公約に反して**ガソリンの暫定税率を実質的に維持したうえでなお92兆円**にのぼります。これは２００９年度当初予算の、88兆円を大きく上回ります。

協会けんぽ（旧政府管掌健康保険）のコストを大企業の健康保険組合に有無を言わさず押し付けるという、およそ自由主義経済の民主国家とは思えないことまで強引にやりながら、なお国債発行額を首相が事前に表明した44兆円以下に抑えるのがやっとという現実が目の前にあります。

この44兆円はもともと、麻生前自民党政権が編成した平成21年度当初予算と第1次補正予算を合計した国債発行総額で、リーマン・ショック後の緊急経済対策など「焦土作戦」と揶揄《やゆ》されるほどのばらまきを含んだ数字です。21年度当初予算の国債発行予定額は33兆円でした。そこまでは小泉政権が掲げた30兆円の発行枠が、グラつきながらもなんとか維持されてきたわけです。

リーマン・ショックへの対応という特殊な要因はあったものの、世界は既に緊急対策によるばらまきからの出口を探り始めています。日本は逆に、財政赤字を拡大する方向に走ろうとしているわけです。ここにも日本の財政政策の特異性があります。

２００９年度の税収は37兆円にとどまり、２０１０年度も不振が続く見込みですから、44兆円の国債発行上限を守ったとしても**予算の策定時点で既に税収より借金の方が大きい**

異常事態です。２０１０年度も補正予算を組むとなれば、借金はさらに膨らみます。

マニフェストと現実との間でふらつくスタートダッシュ

子ども手当を直接家計に支給すれば、政治家や官僚の新たな利権を生まずすべてのお金が間違いなく家計に届きます。その意味では有意義な方法です。所得控除や税額控除に比べても、税率を引き上げずに高所得者から低所得者に所得を再分配できるということで、分配重視の民主党の政策に沿っています。「人へ」の最大項目がひとつ実現します。

しかし、同じお金を使うなら**子どもを持っても安心して働ける環境を整える方**が、女性の社会的地位の向上を促し、労働力を増やし、経済を成長させるうえで意味があるという意見も傾聴に値します。農家への戸別所得補償も専業農家や農業生産法人を育てて地方を活性化させるうえで、却って障害になる可能性の強い政策です。

財政赤字を拡大させて国の将来を大きく変えるいくつもの政策変更を実施する以上、それぞれの政策の組み合わせで国の将来をどう描くのか、国民をどのように食べさせていくのかという丁寧な説明が必要です。

予算のムダを省いて財源を手当てするというマニフェストでの約束を果たさないまま、給付の側だけマニフェストにこだわってあれこれ支出を積み上げれば、結局苦労するのは我々の子孫、あるいは明日の我々自身です。

国民が期待したのは**既得権益に果敢に切り込み、財政の無駄を省いて我々の暮らしを豊かにしてくれる**民主党の姿です。借金の証文と引き換えに施しを受けても、幸せな気分にはなれません。まず、**アメをばらまく前にやるべきことがあるはず**です。

成長戦略が見えない夢物語

経済を成長させてＧＤＰを増やす役割を担えるのは、「日本で付加価値を生み出す」産業だけです。現代において、日本の屋台骨を支える主役は大小の企業群です。産業の中には、農業、漁業なども含まれますし、将来を考えれば、日本の農業は国を救う主役になり得ます。ただ、恐らくその時に農業を担っているのは、高齢者に支えられた個人農家ではなく、**大規模に企業化された農業法人**であるはずです。農業を含めて企業の成長を支えるのは労働力と設備と技術です。その資源をどれだけ有効に使い、成長させるかがわが国の国際競争力を決めます。成長戦略というのは、それをどういう政策の組み合わせで実現するかということにつきます。

企業も国家も同じです。競争力があれば成長し、なければ衰退するのが宿命です。鳩山民主党の政策には、企業に日本での活動を諦めよと言わんばかりの項目がズラリと並んでいます。例を挙げます。

正規社員の流動化を事実上禁止する、世界でも稀な労働規制に手をつけないまま、製造業派遣や登録型派遣の禁止に突き進もうとしています。これは、**日本での採用を諦めろと企業に迫っている**に等しい政策です。単純な労働力であれば、近隣諸国に遥かに優秀で意欲にあふれた若者が育っているからです。他国に比べて極端に突出した二酸化炭素削減目標の設定は、中国を含むアジアやアフリカ、中南米、さらに米国やヨーロッパの企業に対してまで、二酸化炭素削減用の寄付金を払えと日本企業に強制するのと同じです。

この2つは、日本に工場を建てようとする製造業の国際競争力を著しく損ないます。今や、海外工場の設立を検討している日本企業の記事を新聞で見ない日の方が少ないくらいです。日本企業ですら、日本国内に工場を建てようと思わない現実の中で、**海外企業に日本に進出しろというのは、もはや夢物語**でしかありません。日本が「空洞化」すれば困るのは弱い家計や中小企業です。

郵政や道路の扱いに見られるように、「官から民へ」の動きは逆走を始めています。規制緩和の動きも停滞しています。財政赤字を拡大し借金を積み上げて家計に配るさまざまな給付にしても、家計を支援するだけのものに止まり、それが労働力、設備、技術の発展にどのように結びつくのかという展望が開けません。子ども手当を少子化対策というのであれば、他の施策との効果をきちんと比較検討して実施すべきです。

政権の基本的なスタンスとして、家計への分配を優先して企業、中でも大企業に負担を課すことを当然とする姿勢が感じ取れます。他国に比べて突出して高い法人税をどうするかという議論のないまま、租税特別措置を見直して2兆7000億円の実質的な法人増税を行い、家計に配ることがマニフェストのひとつの目玉になっています。

儲けすぎる**大企業は悪、弱い家計や中小企業は善**、という発想では、日本全体が衰退します。

繰り返します。その時、最も痛みを受けるのは、弱い家計や中小企業です。「分配優先で成長戦略が見えない」という新政権への不信感の源泉は、まさにここにあるのです。

第5章

日本を滅ぼす5つの「悪の呪文」

ここまで読み進んでこられた皆さんは、日本の長期にわたる停滞の元凶がいったい何で、そこから抜け出すために何が必要かおぼろに見えてきたと思います。日本がこんなことになってしまったのには、メディアの責任もあります。ぬくぬくと既得権益のぬるま湯につかりながら、お題目のようにきれいごとを並べる政治家、ニュースキャスター、評論家が日本を破滅に導くのです。

そんな連中が口癖のように語る言葉がいかに間違っているか、ここで総まとめしておきます。これら「悪の呪文」から解き放たれることこそが、日本再生の原点です。

✸悪の呪文1 ——

「経済の豊かさより心の豊かさが大切」

こういう毒にも薬にもならない、当たり前の言葉にこそ、「悪」が隠れています。考えてもみてください。現在のように、大学を卒業した学生の3割、高校を卒業した子どもたちの4人にひとりが仕事にあぶれるような状況で、心の豊かさが手に入るはずがありません。

衣食足りて礼節を知る、とはまさにこのことです。政治の責任は、まず、**まじめに働きたいと思っている人々に労働の機会を与え、それによって自ら衣食を確保する喜びを実現すること**です。食うに困る状況で、心の豊かさなどあり得ません。

先日テレビを見ていたら、「マクロ経済学者」を名乗る人物が、「小泉政権時代に、いくらかGDPが上向いても、それで国民は豊かになりませんでした。だから、これからは、GDPに頼らない豊かさを目指すべきです」なんて、臆面もなく語っていました。驚くべき「経済学者」です。少なくとも、**一人当たりのGDPが伸びない限り、国民生活はあら**

ゆる意味で絶対に良くなることはあり得ないのです。

なぜハイチでは大地震の後、食料奪い合いの血みどろの争いが起きたのに、阪神・淡路大震災の後では人々が粛々と救援を待っていたか分かりますか？　もちろん、国民性の違いや、民度の違いを否定するつもりはありません。しかし、根本的な理由は、「餓死する可能性があるかないか」、もっと言うなら「自分の子どもを餓死させる可能性があるかないか」の違いなのです。親は、**自分の子どもの命を守るためなら何でもする**のです。国民の「食いぶち」を確保することが、「経済」すなわち、経世済民の根本なのです。

こう言う人がいます。「ＧＤＰ神話から脱

ブータンの山岳寺院にて

却すべきだ。ＧＮＨ、グロスナショナルハピネス（国民総幸福）をスローガンにするブータンを見習え！」

自慢じゃありませんが、私（辛坊弟）は幸せ求めてブータンまで行きました。確かに多くの人々は幸せそうでした。豊かにコメが実り、家畜とともにひとつ屋根の下で暮らし、村中の畔道《あぜみち》には雑草としておびただしい量の大麻が自生して、秋の収穫の後には火をつけ

王立自然保護センターの前庭には大麻が群生

足元にも大麻が

た藁束《わらたば》に、子どもたちが、**親の目を盗んで大麻をくべて、みんなでラリパッパ状態のこの国**は、一見ほんとに幸せそのものです。しかし私はこの目で見たのです。

一部の特権階級は人目につきにくい山中を切り開いて、広大な敷地に芝生を敷き詰め、そこに欧風の壮麗な住宅を建てて、イタリア家具に囲まれて暮らしているのを。さらに、仕事のない若者があこがれる一番の仕事は、英語力を活かし、コンピューターと国際電話を駆使して、世界中に金融商品を売りつける仲介業だということも知ってしまいました。

あなたは、日本をそんなブータンにしたいですか？

さらに私は、「幸せ」を求めて、南の島にも渡りました。今から5年ほど前に、イギリスのNGOが「世界幸福な国ランキング」というのを発表し、見事一位に輝いたのがニューカレドニアから南西方向に飛行機で1時間くらい飛んだところにある、バヌアツ共和国でした。

そこで私は、原住民が木の根っこをくちゃくちゃと噛んで唾液とともに木の器に吐き出して作った特製の酒を一晩中飲み続け、タロイモをバナナの葉でつつんで蒸した餅を食べて過ごしました。別にそれが不幸とは言いませんが、その生活を一生したいとは思いません。

バヌアツと、ブータンに共通するのは、ともに「自然の中で食うに困らない」という点です。日本の最大の問題は、**海外に頼らず1億3000万人を食わす方法はない**という点です。この本では、詳しく触れませんでしたが、食料自給率向上論ほど馬鹿馬鹿しい議論はありません。農水省は、日本でしか通用しないカロリーベースの食料自給率を算定するに当たり、卵を産む鶏のエサは「輸入品」としてカウントしていますが、米を作り出すのに必要な「肥料」や「農機具の燃料」は算定していないのです。この結果、卵の自給率はしていないのです。この結果、卵の自給率はわずか10％である一方で、コメの自給率は90％なんていう数字が出てくるのです。

肥料や、**原油の輸入が止まった瞬間に、日本の稲作は壊滅**します。つまり、農水省の発表する数字は、効率よく農業補助金をばらま

楽園バヌアツ

くための極めて政治的なデータにすぎないのです。その数字を何パーセント上げようが、食料安保のうえでは全く無意味です。

日本で生活する人々が心の豊かさを感じるためには、まず、一人当たりのGDPを安定的に向上させて、新卒の子どもたちが職にあぶれることのない経済状況を作るしかないのだということを肝に銘じ、アホな自称経済学者（その中には大学教授の肩書きを持つ人も少なくありません）や、キャスターに鉄槌を下さなくてはいけません。

もっとも、世界中から「ワーカホリック」とバカにされ、寝顔以外は子どもの顔を見たことがないなんていう状況が異常であったことは間違いありません。そのおかげで、日本人は餓死せずに、誰でもが海外旅行を謳歌できる国になりましたが、どこかで、行きすぎた「働きすぎ」「経済至上主義」を見直す必要があったのも確かです。しかし、現状は完全に逆の方向に針が振りきれてしまいました。

健康な若者が、**生活保護を得て自宅で24時間ゲームに熱中する**、そんなことが、日常の風景の中に入り込んできています。彼（彼女）の生み出すGDPはゼロです。今は、社会に寄生して生きるだけの余力が、その生活を支える日本に蓄積として存在しています。しかし、その蓄積が切れた時にどうなるか。

ＧＤＰが成長しないということは、生活水準が良くならないということと１００％イコールです。それが低下するということは、生活水準が低下するという意味なのです。行き着く先は、**日本の北朝鮮化であり、その先に待っているのは餓死**です。「日本で餓死者は出ない」、その思い込みが間違いであると証明される日が来ないことを、祈るばかりです。

悪の呪文2——「大企業優遇はやめろ！」

日本の大企業は、今、生産拠点の多くを海外に移転する動きに拍車をかけています。海外の人件費が安いからではありません。海外の多くが日本よりも圧倒的に法人税が安く、**同じ利益を得た場合、手元に残る金額が、日本国内に工場を置くのと、海外に置くのとでは全く変わってくる**からです。逆に、外資系の企業がすさまじいスピードで日本から引き揚げているのも、同じ理由からです。

日本全体の「儲け」の大半を生み出しているのは、現在の大企業です。「現在」の大企業というのには意味があります。日本企業が次々とニューヨークの有名ビルを買いあさっていた時、多くの日本人は「もう、米国製品で買うものはない」と口にしていました。

それから20年、今、我々の周りには米国製品があふれています。パソコンのマイクロチップ、基本ソフト、iPodにiPhone、ヤフーにグーグル、3D映画、数え上げればきりがありません。いずれも、80年代には存在していなかったか、あるいは存在していても、いわゆるベンチャーの域を出ない企業や製品でした。しかし、今やそのいずれも**がアメリカを支える屋台骨**に成長しています。大切なのは、こうした未来の大企業を育てる意思と制度を社会が持っていることなのです。

中小企業が中小企業のままではとても日本を支える力にはなれません。多くの中小企業は、大企業の利益に支えられているのです。大企業が潤っても、下請けいじめで、中小企業が儲からないという話はよく聞きます。これは是正しなくてはいけません。

しかし、逆に下請けの中小企業が儲かっているけれど、発注元の大企業が儲かっていないというケースはまず聞きません。当然です。国際的に利益を生み出す親が儲からなくて、子だけが儲かるという構図は、一般の経済社会ではあり得ないのです。

子会社にどう利益を分配する方法を作るかは確かに政治の責任ですが、それ以前に、大企業がいかに儲かって、従業員や、傘下企業に利益を分配できる体制を作るかこそが、真っ先に求められるのです。大企業をいじめて、日本全体が良くなることは絶対にありません。むしろ**大企業優遇こそが、日本を救う方法**だということに目覚めてください。

日本企業が、他国に比べて明らかに負担の多い状況下に置かれ、それが原因で、次々**外国企業に負け始めている**という現実は、日本の将来にとって絶望的です。日本の法人税率が現状のまま続けば、間違いなく、金の卵を産む最大の鶏である大企業は雪崩を打って海外に逃げ出してゆきます。結果として、利益を受けるのは、それら企業が進出してゆく外国であり、被害を蒙《こうむ》るのは日本国民なのです。

✸悪の呪文3

「金持ち優遇は不公正だ！」

これも、日本を悪くするスローガンのひとつです。まず前提として、日本の直接税の大半は、大企業と高額所得者に支えられています。まず、その認識を持って考えてください。

日本では、例えば、定額給付金や子ども手当を誰に支給するかという時に必ず、「金持ちには給付する必要がない」という声が出ます。

金持ちは少数派ですから、この手の主張に乗った方が、「票が伸びる」と思う政治家や、テレビでの人気を維持したいと思う無責任な評論家は「そうだ。子育て手当を金持ちにばらまくのは間違いだ」なんてアホなことを平気で口にするのです。はっきり言って、**日本の高額所得者が支払っている莫大な税金**に比べて、当人が受け取る子ども手当や、定額給付金なんてそもそもゴミみたいな金額です。

例えば必要経費を除いて一億円の所得がある人が払っている年間税額は、直接税だけで約5000万円にものぼるのです。この人に、年間数十万円の子ども手当を給付することが果たして不公正といえるでしょうか。そもそも多くの場合、こういった施策において**支給対象者を制限しようと思うと、莫大な行政経費がかかる**のです。支給を制限して節約できる金額よりも、役人やバイトに支払う経費の方が多くなってしまうのです。

さらに、去年5000万円の税金を納めた人が今年事業に失敗して借金取りに追いまくられる生活に転落したとしても、過去に払った莫大な個人所得税はびた一文返ってきません。翌年の福祉施策は、前年の所得に応じて決まるのが通例ですから、**一気に収入が落ち**

た「元」金持ちが、翌年子ども手当などの公的扶助が受けられないというのは果たして、社会正義に合致するものでしょうか？

フランスやドイツなど、子育て先進国は、子ども手当は所得制限なしの一律です。何のために子ども手当を支給するのかという根本の思想に立ち返った時も、実際の行政手続きの面でも、その方が遥かに合理的、経済的だからです。

もちろん、累進課税の直接税をやめて税制を消費税に一本化するなどというような、本当の金持ち優遇策は断固として許すべきではありませんが、**既に所得の半分を税金で取り立てているうえに、**細かい金で「金持ち優遇」と叫ぶのは、単なる大衆向けの人気取りにすぎないということを国民は知るべきです。

✸悪の呪文4
「外資に日本が乗っ取られる」

これも、安物の右派の人物などが、口癖のように言う言葉ですが、もちろん間違いです。

確かに、それぞれの国の象徴的な何かを外国に買われるのを、快く思う人はいません。例えば、かつて日本がバブルのころに、日本企業は、**ニューヨークの有名なビルなどを次々に買収して、米国大衆を敵に回す**というアホなことをしました。

でも、この投資で結局儲けたのは誰かというと、そんな高値では誰も買わないような物件を売りつけるのに成功したアメリカ企業で、損をしたのは、イメージが悪くなったうえに不動産価格が下がって大損した日本企業です。

この点外国企業は抜け目なく、日本の1997年の金融危機の時に、日本の企業・銀行が怖がって手をつけなかった**某長期信用銀行を、損失補償条項まで日本政府につけさせたうえで買収し、大儲けする**なんて荒技をやってのけました。実に腹立たしい話です。しかし、よく考えれば、この時、とびきりアホだったのは日本の金融当局で、意気地がなかったのが日本国内企業だっただけの話です。

重要なのは、こういった特殊な例はともかくとして、一般的に「外資が乗っ取る」ということの本質的な意味を認識することが重要なのです。外資が乗っ取るということは、すなわち、どんなかたちにせよ、**外国人が日本国内に投資をする**ということです。

外国から投資のかたちで入ってきたお金は、日本国内の貯蓄と同じように、国内の投資の元金になります。つまりその金が国内で雇用を生み、消費を増やし、ＧＤＰを上昇させる要因になる可能性を意味しているのです。また、基本的に、誰も儲からない国に投資なんかしませんから、外国人が日本に投資するということは、日本の将来を信用しているということにほかならないのです。

今はどうでしょうか。外国人が日本に投資しないどころか、日本企業が、日本国内で得た利益をどんどん海外に投資している状況です。こうなると、**雇用が生まれ、消費が増え、ＧＤＰが向上するのは、その投資先の国**ということになります。そういう意味では、人気の１００円ショップや、格安衣料品チェーンのビジネスモデルが、日本にとって最悪だということが分かります。

いずれも日本人が製品を買った金は、外国の工場の設備投資や、その国の賃金としてどんどん流出していくのですから。この点、一見同種のビジネスに見える某外資系衣料メーカーなどは、相当程度自国生産にこだわっています。これが本当の企業の社会的責任です。

まあしかし、最近、そのような衣料品チェーンの雄であったユニクロは、国内の高級素材を使ったジーンズを売り始め、さらに外国での店舗展開に積極的に乗り出しました。上海あたりで「ユニクロ」のイメージは、「頑張ったら普通のＯＬでも手に入るちょっと高級なブランド」として人気を博しています。願わくは、**外国で儲けて、その利益を日本に持ち帰る**、そんな企業になってもらいたいものです。

これだけ書けば、どんなアホでも分かるでしょう。**外資が日本に金を落とすというのは善であり、**決して安物の民族意識で批判するような話ではないのです。

✸悪の呪文5——「金をばらまけば、景気が良くなる」

この呪文の困るところは、短期的には必ずしも間違いと言いきれないところです。国民に買いたいモノがいっぱいあるが金がない、しかし、街にはモノがあふれていて、売りたい人が山ほどいる、というケースなら、確かに役に立ちます。

ただ問題は、日本の現状をどう見るかです。本当に、国民に金がなくてモノを買わないのですか？　大恐慌下のアメリカのように、職にあぶれて文字どおり食うに困る人が大量にいる時代なら有効な方法でも、**個人金融資産が１４００兆円もあって、**しかも誰も食う

に困っていない状況で果たして有効な方法なんでしょうか。なぜ、日本国民はモノを買わないのでしょう。理由は明快です。

ひとつは将来が不安で、とても今、預貯金を取り崩す気にならないからです。年金にしても、雇用にしても、将来の子どもの学費にしても、安心して「今」金を使う気には誰もなりません。こんな状況で、いくら金をばらまいても、結局預貯金に回り、金融機関は国債を買い、国債を売って得た金で政府は無駄使いに走り、一部は政府のばらまきに使われ、それが預貯金に回り、国債に化け、政府に入り……という、いつか破綻するサイクルの中にお金が組み込まれていくだけにならないのか？　という視点が大切です。

国民に金を使わせたければ、国民から将来の不安を取り除くことです。年金の仕組みを整え、財政を安定化させ、公教育を立て直して、塾や私学に頼らず子どもを安心して育てられる環境を作ることこそ政府の役割です。それをせずに国民に金をばらまくのは、悪魔の所業と言わざるを得ません。

もうひとつ、国民がモノを買わない、今流行している言い方をすれば、「需要が低迷している」最大の理由は、国内に買いたいモノがない、という点にあります。100円ショップにも、スーパーにも、デパートにも商品はあふれています。まさに「供給過剰」

です。でもあなた、お金があったら、100円ショップのモノを買い占めますか？　要するに、**いくら金があっても、要らないものは買わない**のです。

悪の呪文2で述べた、「今売れているモノ」を確認してみましょう。あなたはそのいくつかに、必ず金を払っているはずです。ウィンドウズのパソコン、アップルのパソコン、ヤフー、グーグルのサービス、iPhone、iPod、映画「アバター」、いずれも直接金を出していないという人でも、インターネットと全く無縁という人は極めて少ないでしょうから、間接的には米国のGDP向上に寄与しているはずです。これらの商品やサービスは、**80年代までに米国の自動車や家電が国際競争力を失うのと入れ替わりに、米国経済を牽引する機関車として登場**し、成長を遂げました。

日本では、20年前も、そして今も、海外で勝負できる唯一の商品が自動車です。この間、ゲーム機とアニメだけは少し目立った存在になった時期もありますが、とてもそれで1億3000万人を食べさせることはできません。「日本は供給過多で、需要が少ないから、国民に金をばらまいてもっと使ってもらえば、景気が回復する」。これが、需要に重きを置く経済対策の考え方です。

日本でこれは効きません。理由は簡単です。供給力があっても、そこで生み出されるモノやサービスが必要のないものなら、いくら金があっても誰も買わないからです。ところが、日本では過去20年、**本当は徐々に退場すべきモノやサービスが、手厚い政府の保護やさまざまな規制によって温存され**、そのことが、新しいモノやサービスを生み出す活力を奪ってきました。その結果として、今、供給過多、需要不足が起きているのです。

モノが売れないのは、買い手に力がないからではなくて、売り手の側に売れるモノやサービスを生み出す力がなくなっているからなのです。日本でなぜ、ヤフーやグーグルが生まれなかったのか？　なぜ、**ソニーはｉＰｏｄを作れなかったのか？**　これを考えることにこそ、日本再出発のカギがあります。

地方の商店街は、軒並みシャッター通りと化しています。その近隣住民に金をばらまいて問題は解決しますか？　その金は将来のための預金に回るか、便利なショッピングセンターで使われるのがオチです。

「それならば」と、商店街だけで限定的に使える商品券をばらまけば、確かにその瞬間だけ、商店街での消費は増えます。しかし、それを持続させようと思えば、永遠に、商品券をばらまき続けなければなりません。そんなことはできないでしょう。

なぜ地方の商店街は、シャッター通りになったか分かりますか？　誤解を恐れずに極論をいえば、それは、その商店主たちが金持ちだからです。食うに困っていれば、何としても商売を続けようとするでしょうし、それが無理なら、店を叩き売って現金に換えようとするはずです。そうすれば、時代に合った商店やサービス業が生まれます。

しかし、多くの昔ながらの商店主は、食うに困らないだけの貯えを持っていたり、**駐車場や不動産賃貸ビジネスなど別の収入があったりするために、シャッターを下ろしたまま商店を放置**してしまうのです。日本全体の人口減少を食い止めるのは、国のマクロ政策にかかわる問題です。また、シャッターを下ろしたままの商店の固定資産税を増やすなど、きめ細かな対策を、自治体が考えることも必要です。

しかし、最終的に商店主自身が、商売をする意思を持たない限り、問題が解決することはありません。シャッター通りの商店街を活性化させるためには、商店街に店を出す者自身が、時代と地域の変化に合わせた新しい商品やサービスを生み出すほかに道はないのです。

おわりに

今から30年以上前（1976年）、堺屋太一氏が近未来小説『団塊の世代』を世に問いました。年功序列と終身雇用の崩壊で会社に見放されるサラリーマンの悲哀が1990年代半ばを舞台に描かれ、年金や医療などの社会保障の危機が1999年を舞台に描かれています。

当時学生だった私は、教室で次のような話を聞かされました。

「日本的雇用慣行は、人数の多い若い世代の給料を少しずつ削って人数の少ない高齢者に手厚く配分することで成り立つ制度である。高度成長が終われば、この制度は維持できない。まず**年功昇進が崩れ**、次に**年功昇給が崩れる**だろう。退職金インパクトに耐えられなくなった企業は、企業年金制度に移行して支払いを先送りし、やがて企業年金も限界に達する。親企業から系列企業に順次人を送り出して組織ピラミッドを維持する終身雇用制度も、子会社側の人余りとともに変質する。高齢に達してから手厚く処遇して老後を保障するシステムは破綻し、企業は定年を延ばして対応せざるを得なくなる。高齢者を戦力として活性化することが重要になる」

「日本独特の制度が順調に機能している今、こんな話をしても君たちにはピンとこないかもしれない。だが、高度成長を支えた要因と人口ピラミッドが今後どう変化していくかを考えれば、それは必ず起こる事態だと学者も通産官僚も厚生官僚も知っている。堺屋太一が『団塊の世代』を書いたのも、元通産官僚として何が起こるか知っているからだ。現在の制度は手のひらに乗せた赤い風船で、そこに水が流れ込んでいる。その風船が手から手へ順番に引き継がれていく。風船を持つ人が少しずつ水を抜きながら次の人に手渡せば、各世代が平等に水を被って風船は割れることなく引き継がれる。だが、日本の経営者や官僚や政治家は、自分が持っている間はなんとか割れないように、と願いながら**目をつぶってそのまま次の人に渡していく**に違いない。やがて風船は破裂し、その時手に持っている人が一気に水を被ることになる。それは君たちが引退するころのことである」

その後の30年間の現実を振り返れば、専門職制度の導入と引き換えに年功昇進制度の影が薄れ、成果主義の導入で年功昇給制度も消えていきました。定年は60歳まで延長され、

65歳までの雇用も目前です。日本航空の再生に絡んで企業年金カットの是非が大きな話題を呼んだところを見れば、**退職金から企業年金への移行**が進み、累積した年金債務の圧力がやがて問題を生むという予見も当たりました。国の年金と医療が危機に瀕しているのは連日報道されているとおりです。

30年前の予言は実は予言ではなく、確実に起こる不都合な真実の指摘だったのです。多くの識者が問題を知っていたにもかかわらず、風船は破裂の危機を迎えました。それが日本の現状です。国が滅亡する前に、いよいよ行動しなければなりません。

近ごろ巷《ちまた》でKYな（空気読めない）やつ、という言葉が流行りました。「空気」を大事にする気風は、昔も今も変わりません。第二次世界大戦末期、日本海軍の誇る戦艦大和が敵に制空権を奪われた海を沖縄に向けて出撃しました。連合艦隊司令部で成功すると信じた者は誰もいない、自滅に等しい作戦です。時の軍令部次長小沢治三郎中将は、のちにこの時のことを述懐して「全般の空気よりして当時も今日も特攻出撃は当然と思う」と発言しています（『失敗の本質』中公文庫）。合理的な判断に、空気が優先する土壌が日本にはあります。「和をもって尊しとなす」のは、農耕文化に育まれた日本人の大切な財産です。ただ、複雑化しグローバル化する世界の中で差し迫る危機に対しては、時には**理詰めで立**

ち向かう勇気と行動も必要です。

海外で仕事をしていると、危機が迫る前に予防的に手を打つことが苦手な日本人の特性を実感します。ビジョンと戦略とを明確にして独立自尊の精神で行動することを恐れ、その場の「空気」に流されて問題を先送りするからです。「経営は3つの言葉を知っていれば誰でもできる、前例はどうかね、当局（役所）はどうかね、他社はどうかね、この3つだ」と喝破した人がいました。日本が先進諸国を追いかけて破竹の勢いで伸びている時はそれで良かったのです。世界中から最も優れた手本を見つけ出し、日本中がそれに向かって一斉に走ることが成功への鍵でした。先例に倣って方向を定め、**護送船団方式で指導するのは官僚組織が最も得意とするところ**です。前例、他社、当局の規制と指導、そしてできあがる空気。すべてがそれで決まり、全員が勝者になれました。

世界のトップに立った先進国に、それは許されません。手本はないのです。官僚組織に、革新的な戦略の立案や展開は期待できません。それができるのは日々変化する競争環境の最前線に身を晒《さら》し、各分野の先端で変革を迫られつつ創意工夫を重ねている我々自身の自覚と行動です。

将来あるべき姿を見定めて現状を変えていく決意は、将来起こると思われる不確定な要素を予測して定めなければなりません。

不確実な前提の上に立つがゆえにさまざまに異なる意見や思惑に晒され、批判されます。それを恐れて空気を読み、問題を先延ばしする余裕は今のわが国にはもはや残されていません。高い志と冷静な目を持ってしっかりとしたビジョンを描き、戦略を立て、あるべき**明日の日本の姿**に向かって果敢に行動しなければならない時です。

「20世紀の後半、アジアの東に日本という平和で豊かに栄えた国があった。資源に恵まれなかったこの国は、勤勉で礼儀正しく自律精神にあふれた国民が熱心に勉強し働いて作り上げたものだった。豊かさに慣れた国民はやがて国への依存心を強め、それに迎合して矜持《きょうじ》を忘れた政治家やメディアと、縦割り行政の中で自らの利益を優先する官僚組織に蝕まれ、今は歴史の彼方に消えてしまった」

我々の子孫がそのような外国の教科書を読む日が来ないよう、頑張れ日本人。

辛坊正記

辛坊治郎（しんぼう・じろう）
1956年、鳥取県生まれ。早稲田大学法学部卒業後、読売テレビ放送入社。アナウンサー、キャスター、プロデューサー、情報番組部長等を歴任。現在日本テレビ系全国ネット「ウェークアップ！ぷらす」キャスター。読売テレビ解説委員長、芦屋大学客員教授。

辛坊正記（しんぼう・まさき）
1949年、大阪府生まれ。一橋大学商学部卒業後、住友銀行に入社。慶應義塾大学経営管理研究科1年制課程修了（首席総代）。コロンビア大学経営大学院修士（MBA、優等卒業〈ΒΓΣ会員〉）。ニューヨーク信託会社社長、住友銀行アトランタ支店長、住友ファイナンスエイシア社長、国際金融法人部長を歴任。㈱日本総合研究所を経て現在、㈱日本総研情報サービス代表取締役専務。

日本経済の真実　ある日、この国は破産します
2010年4月25日　第1刷発行
2010年5月15日　第5刷発行

著　者　辛坊治郎　辛坊正記
発行人　見城 徹
編集人　福島広司

GENTOSHA

発行所　株式会社 幻冬舎
〒151-0051　東京都渋谷区千駄ヶ谷4-9-7
電話　03(5411)6211(編集)
03(5411)6222(営業)
振替00120-8-767643
印刷・製本所：株式会社 光邦

Printed in Japan
ISBN978-4-344-01816-7　C0095
幻冬舎ホームページアドレス　http://www.gentosha.co.jp/

この本に関するご意見・ご感想をメールでお寄せいただく場合は、
comment@gentosha.co.jpまで。